TikTok
ショート動画革命

ヒット商品を次々生む新世代の拡散力

日経エンタテインメント！ 編

日経BP

TikTok ショート動画革命

ヒット商品を次々生む新世代の拡散力

序章

消費を動かすプラットフォーム「TikTok」

メジャーデビューをしていない歌手の楽曲が突如ユーザーの人気を集めてバズり、大みそかの『NHK紅白歌合戦』出場を達成。4年前に発売された小説が1本の投稿動画をきっかけに共感を集めて20万部を超える大ヒット――。

TikTokは今、ウェブマーケティングの世界で「消費を動かすプラットフォーム」として存在感が急激に高まっている。

2017年10月に日本でのサービスをスタートしたTikTokは、21年12月現在、150の国と地域で展開。20年にはダウンロード数世界№1を達成し、21年9月には1カ月のMAU（Monthly Active Users／月間アクティブユーザー）が10億人を突破したと発表された。

「ローティーンに人気」「若者が歌って踊って楽しむもの」…そんなイメージを抱く人もいるかもしれないが、もはやそれは過去のもの。TikTokに投稿されるコンテンツは多様化しており、ダンスやリップシンクといった動画に加えて、書籍やファッションアイテムなどの商品レビュー、料理・グルメ、教育など日常生活を変える有用性の高い動画が急増している。

「消費を動かすプラットフォーム」としてのＴｉｋＴｏｋの影響力を、最初に世に知らしめたのは音楽だった。というのも、ＴｉｋＴｏｋではダンスやリップシンクといった音楽を軸とする投稿はもちろん、面白ネタを披露する動画、料理のレシピを紹介する動画、何気ない日常を映し出すＶｌｏｇまで、あらゆる動画作成時に音楽をＢＧＭとして使うことができるように、ＴｉｋＴｏｋと音楽は切っても切れない関係にあるためだ。

20年以降、瑛人の『香水』、優里『かくれんぼ』『ドライフラワー』、ｙａｍａ『春を告げる』、川崎鷹也『魔法の絨毯』などが、ＴｉｋＴｏｋで人気を集めて大ヒット。21年下半期には、ベテラン歌手・和田アキ子の『ＹＯＮＡ ＹＯＮＡ ＤＡＮＣＥ』が、ＴｉｋＴｏｋ内の総再生回数が３億２４００万回を突破する記録的ヒットとなっている。

ユーザーの拡大、そして動画の人気ジャンルの拡大とともに、20年夏以降はＴｉｋＴｏｋの影響力は音楽以外のジャンルへと拡大。書籍やコスメ、菓子類など様々なジャンルの商品が売れ、21年に〝ＴｉｋＴｏｋ売れ〟というワードが一般化するまでになった。月刊誌『日経トレンディ』が21年11月に発表した「２０２１年ヒット商品ベスト30」では、「Ｔ ｉｋＴｏｋ売れ」が第１位に輝いたほどだ。

ユーザーからの「提案」が消費行動へとつながる

〝ＴｉｋＴｏｋ売れ〟を分析するうえで欠かせないキーワードに、「自然発生」がある。例えば、先に挙げたような音楽でのヒットは、一般ユーザーが作成した「歌ってみた」「弾いてみた」「踊ってみた」といった動画を着火点に、自然発生的な盛り上がりのなかで楽曲の人気が高まっていった。ＴｉｋＴｏｋ発のヒットが続く書籍も、ユーザーがおすすめする「レビュー動画」をきっかけに認知度を高め、実売につながるケースが一般的だ。

これまで、ウェブマーケティングの中心地として存在感を高めてきたＳＮＳでは、芸能人や多数のフォロワーを抱えるインフルエンサー、もしくは親しい友人などの「レコメンド」を軸にヒットが生まれてきた。

だが、ＴｉｋＴｏｋでは事情が異なる。一般ユーザーによる投稿をきっかけに予想もしていなかった大ヒットが生まれるのは、動画が面白ければフォロワー数に関係なく広く拡散し、さらにユーザーの視聴傾向を機械学習して、本人さえ気づいていない潜在的なニーズに合った動画を提案する独自の仕組みが大きく影響している。「検索」でも、著名人や知人からの「口コミ」でもなく、「提案」で新しい情報に出合い、ユーザーが消費行動に移るのがＴｉｋＴｏｋの新しさだ。

戦略的に〝TikTok売れ〟を生むために

これまでのウェブマーケティングの手法が通じない世界だが、実は近年、戦略的にヒットを狙い、成功を収める企業が増えている。

ヒットを生むためには、まずＴｉｋＴｏｋというプラットフォームやユーザーの特性を知ることが重要だ。本書ではまずＰＡＲＴ１で、ＴｉｋＴｏｋの歩みと、他のウェブサービスとは全く異なるプラットフォームとしての優位性、〝ＴｉｋＴｏｋ売れ〟が起こる理由を解説する。

続いてＰＡＲＴ２では、戦略的にＴｉｋＴｏｋを活用し成果を収めた企業を取材し、その手法を紹介。それぞれの目的を達成するために、ＴｉｋＴｏｋならではの広告メニューを使った事例、ＴｉｋＴｏｋのバズやユーザーを研究した事例、独自アカウントを運用して成果を収めた事例まで、様々なニーズに合った成功事例に出合えるはずだ。

ＰＡＲＴ３では、ＴｉｋＴｏｋにおいて企業とユーザーをつなぐ大きな存在となっているクリエイターにスポット。そしてＰＡＲＴ４では、ＴｉｋＴｏｋ Ｊａｐａｎのトップである佐藤陽一ゼネラルマネージャーにこれからのＴｉｋＴｏｋが目指す先を語ってもらう。

言葉自体を耳にする機会は増えたが全貌が見えにくい〝ＴｉｋＴｏｋ売れ〟というキーワード。本書を読み進めれば、その正体が見えてくるはずだ。

※本書内における再生回数、フォロワー数などのデータやアカウントなどは特にことわりのない場合、２０２１年11月現在のもの

CONTENTS

PART 2
ケーススタディ "TikTok売れ"の現場

自社アカウントでファン作り

アイデア動画でヒットを創出

TikTok

PART 1

動画で消費を動かすTikTok〝拡散力〟の秘密

ショート動画でなぜモノが売れる？

ＴｉｋＴｏｋがサービスをスタート スマホのみで楽しめる手軽さで人気に

ＴｉｋＴｏｋが日本でサービスを開始したのは２０１７年夏。そこから、わずか４年ほどの間にショート動画の楽しさを若者だけでなく一般層にまで広め、今ではリアルな消費にも影響を与えるプラットフォームへと成長している。

17年は、その年に話題になった言葉を選ぶ「ユーキャン新語・流行語大賞」の年間大賞に「インスタ映え」が選ばれている。自身で撮った写真を共有して楽しむ〝自撮り〟文化が根付いたタイミングで登場したＴｉｋＴｏｋは、その動画版として、まずは10代などの若年層から浸透していった。

ショート動画については、それ以前にも「Ｖｉｎｅ（17年サービス終了）」「ＭｉｘＣｈａｎｎｅｌ（現名称・ミクチャ）」などが存在しており、カップルがデートの様子やキスシーンを編集した「カップル動画」、そっくりな服装をする「双子コーデ」で踊る「双子ダンス」など人気を集めるジャンルもあった。また、自撮りアプリでは、目を大きく、頬を赤く、動物の耳を付けるなどの「スタンプ」で有名となった「ＳＮＯＷ」も16年頃か

ショートムービープラットフォーム「TikTok」とは

TikTokは数秒〜最大3分までのショート動画を投稿・共有・視聴して楽しむショートムービープラットフォームだ。アプリを起動すると、すぐに縦型動画の再生が始まる。ループする動画を上に向かってスワイプすると次の動画が、下にスワイプすると前の動画が再生される。

フォローしたお気に入りのユーザーの動画を見て楽しむこともできるが、大多数のユーザーは、TikTokにおすすめされた動画が再生される「おすすめ」フィードを閲覧している。投稿された動画に設置されている「いいね」ボタンやコメントで投稿主と交流することもでき、楽曲をタップすると、同じ楽曲を使った動画を視聴することも可能だ。

TikTokで流行っている動画は「トレンド」でチェックできる。人気のハッシュタグをタップすると、そのハッシュタグが付けられた動画投稿を閲覧できる。TikTokが行うアプリ内の企画「#（ハッシュタグ）チャレンジ」により、常に新たなテーマが提案されている。

TikTokの投稿は、オリジナルの内容だけでなく、誰かの投稿をまねする「ミーム（meme）」が多い。ハッシュタグや楽曲をタップすれば、簡単に同様の投稿を作成できる導線が用意されている。アプリが提供する「エフェクト」や「フィルター」により、高いクオリティーの動画が簡単に作れるように設計されていることも、その人気を後押ししている。

ら流行っている。TikTokは、こうしたショート動画や画像加工の楽しみ方を知っていた若者の前に登場し、そのポテンシャルの高さで支持を集めた。

TikTokは当時から顔認証や動作認証などの技術を用いた機能に力を入れており、「顔色のトーンを変える」「小顔になる」「足が長くなる」といった加工や、髪の毛をパープルやピンクに変えるなどの「エフェクト」が充実。シャボン玉が飛んだり、花びらが舞ったりという効果もボタン1つで選択できた。さらに、好きな音楽を選んで動画に付けることも可能。楽曲のスピードも変えられるため、早回しにした楽曲をBGMにしたり、撮影時にはテンポを落とした楽曲で踊って、投稿時に通常のスピードに戻すなどのワザもできた。そんな撮影から投稿までを、すべてスマートフォンのアプリ内でできる手軽さが受けた。

スタート当初、その認知を広げたのは様々なSNSで常に先端を走っていたインフルエンサーたちだ。Vineで有名になったkemio、楽曲に合わせて口パクで歌う「リップシンク動画」で人気のねおや、双子ダンスで注目されていたりかりこなどのミクチャ組らがいち早くTikTokに進出し、後に100万人規模のフォロワーを誇る人気TikTokクリエイターに育っていく。

新たなサービスに若者は敏感だ。ＳＮＳのインフルエンサーがおすすめするサービスには躊躇なく飛び込んでいく。「流行感度の高い私たちだけが知っている」というレア感も、拡大に一役買う。こうして、ＴｉｋＴｏｋは若者に一気に受け入れられていった。

「ミーム」が生み出す様々なブーム

サービス開始の翌18年、早くもＴｉｋＴｏｋは大ブレイク。同年7月には、日本における動画の月間再生数が１３０億回を突破している。短期間で、これだけの再生数を促す動画が投稿されるようになったのは、ＴｉｋＴｏｋが「ミーム（ｍｅｍｅ）」を生みやすいプラットフォームであるからだ。

ミームとは、動物行動学者・進化生物学者であるリチャード・ドーキンスが『利己的な遺伝子』で提唱した造語。「自己複製」あるいは「模倣」の単位を指すギリシア語「ｍｉｍｅｍｅ」を「ｇｅｎｅ」と対になるように縮めたとしている。この言葉がインターネットでの文化を表現するときにも用いられるようになり、あるコンテンツのフォーマットがテンプレート化して、ものまねとアレンジを繰り返して広がっていくことを「ミーム」と呼ぶようになった。

ＴｉｋＴｏｋでは数秒から30秒程度の短い動画が大半を占めるため、それをマネするのはハードルが低い。そこで、元ネタのコンテンツと同じテーマで同じ楽曲を使った動画を作成し、共通の「ハッシュタグ（＃）」をつけて投稿する、そんな〝みんなでまねをして遊ぶ〟文化が一気に花開いた。

例えば、18年に流行った動画の１つが「＃いいアゴ乗ってんね」。これは、カメラを持つ人が手のひらを差し出していると、他の人が駆け寄ってきてアゴを乗せるというものだ。ほのぼのとした楽曲が使われていたため、女性がかわいらしく見える点も流行につながった。ＴｉｋＴｏｋではそれ以前に、パラパラダンスのように踊る「いい波乗ってんね」が流行っており、それに派生した言葉とも言われている。当初はユーザーから自然発生したブームだったが、その後ＴｉｋＴｏｋが木下優樹菜やＡＫＢ48の岡田奈々などのタレントを起用して拡散を広げた。18年４月時点で動画の再生回数が２３００万回、投稿数が１万１０００件を超えたが、その３カ月後には再生回数が１億２０００万回超、投稿数が２万９０００件超にまで伸びたというから驚きだ。

「＃だれでもダンス」は片腕を体の前で横にし、もう一方の手で前に出している腕の上下に拳を突き出す振り付けで、ポップな楽曲に合わせて踊る動画。18年６月には『Ｐ

ＰＡＰ』がヒットしたピコ太郎もＴｉｋＴｏｋで踊っている。「#だれでもダンス」は18年7月時点で再生回数が5億3０００万回超、投稿数が16万７０００件超を数えた。

「#全力○○」もＴｉｋＴｏｋで代表的なシリーズだ。「全力○○始まるよー」の掛け声とともに、「全力笑顔」「全力変顔」といった曲の歌詞に合わせて顔を作る。作曲と振り付けをした「こたつ」は、現在８人組ＹｏｕＴｕｂｅグループ「フォーエイト」のメンバーとして活動をしている。

ある人の背中を映し、音楽と掛け声に合わせて振り向いてもらう「#こっちを見て」も流行した。お決まりの音声を選び、振り向くだけでコンテンツになる手軽さによるものだろう。18年9月時点で再生回数が3億回、投稿数が19万件を数えている。

ＴｉｋＴｏｋのこうした「まねして遊ぶ」カルチャーは、現在に至るまで変わらない。ユーザー数も増えた今は、毎日のように新たなトレンドが次々と生まれている。

著名人の相次ぐ参入も飛躍を後押し

こうした独自のカルチャーが定着し始めると、ミームを生む側、あるいはそれに乗る側として著名人の参入も増加。ＴｉｋＴｏｋ人気をさらに後押しした。

いち早く参加したアーティストの1人がきゃりーぱみゅぱみゅだ。彼女は公式アカウント以外に「友達とふざける用」のアカウントを作成、部屋で楽しく踊る様子などを投稿していた。そして、18年4月に新曲『きみのみかた』をリリースすると、TikTokとのコラボ企画を行う。これはTikTokの「デュエット機能」を使ってきゃりーぱみゅぱみゅとTikTok上で共演、ハッシュタグ「#なりきりきゃりー」をつけて投稿を促すというものだった。デュエット機能とは、他のユーザーの動画に自分で撮った動画を合成できる機能。『きみのみかた』を使用した動画の投稿数は、同年5月31日時点で3万5000件を突破し、きゃりーぱみゅぱみゅ自身が公開した4件の動画の「いいね」数も合計で28万件を超えた。

9月にはPerfumeもダンス動画を投稿している。当時人気だった「ホコリよけダンス」と「シリシリダンス」を踊り、キレキレの動きで反響を呼んだ。「ホコリよけダンス」は、ホコリを手で払うような振り付けで、カザフスタンのアーティスト・Dastan OrazbekovのMEPEKE』という曲の間奏部分を使う。「シリシリダンス」はルーマニアのMatteo『Panama』という曲のサビ部分が「シリシリ」と聞こえるためそう呼ばれており、両手を大きく振り上げるダンスだ。

この頃にはテレビでもTikTokが注目され、紹介される機会が増えた。例えば、

18年8月には、バラエティ番組『林先生が驚く 初耳学！』（TBS系／現・日曜日の初耳学）で紹介され、林修、FISHBOY、Sexy Zoneの中島健人の3人が「シリシリダンス」を踊っている。

また、きゃりーぱみゅぱみゅと同様、TikTokでチャレンジ企画を行うアーティストも増えた。GENERATIONS from EXILE TRIBEは、『F.L.Y. BOYS F.L.Y. GIRLS』のリリース記念企画として「#シュート」を付けた動画を投稿する企画を開催した。

お笑い勢が参入、テレビ連動企画も始動

ダンスや音楽ジャンル以外のタレントの参入も続いた。お笑いコンビ・フォーリンラブのバービーは、TikTokで流行っていた自身の「しりとりネタ」を行い、本家が再現していると話題になった。また、おかずクラブや狩野英孝などもTikTokで人気のダンスを「踊ってみた」というノリで試している。

18年11月には「M-1グランプリ2018」との連動企画、「だれでもM-1チャレンジ」が開催された。芸人とのデュエットでお笑いコンテンツを作成する「#m1相方

チャレンジ」や、出囃子で登場するとマイクが出てくる「#全力M‐1チャレンジ」なども行われている。短尺であることが、お笑いの一発ギャグに向いていたこともあるだろう。音楽とお笑いの2軸で若い層を中心にＴｉｋＴｏｋ活用が始まっていった。

若年層の流行りから全世代が認知するツールへ

わずか1年で急激に認知度を高めたことを象徴するのが、18年末の「ユーキャン新語・流行語大賞」（『現代用語の基礎知識』選）の候補に「ＴｉｋＴｏｋ」がノミネートされたことだ。最終的にトップ10入りは逃したものの、既に若者だけの流行にとどまらず、全世代に知られるツールとなっていたことを示した例だといえる。

もちろん、若年層における話題性は抜群で、女子高生の流行をまとめた「２０１８年のＪＣ・JK流行語大賞」（ＡＭＦ選）では、「ＴｉｋＴｏｋ」はアプリ部門で1位、「ＴｉｋＴｏｋｅｒ」がコトバ部門で4位に輝いた。コトバ部門には「あげみざわ」や「どこまでいっても渋谷は日本の東京」など、ＴｉｋＴｏｋでも活躍するｋｅｍｉｏ発の言葉もランクインしている。なお、コトバ部門5位には「インスタ萎え（＝インスタグラムらしくないイマイチな投稿の意）」も入っており、女子高生たちが「インスタ映え」に疲れてきた時代背景も読み取れる。

同じく、10代女性を対象に毎年行っているマイナビティーンズラボの「10代女子が選ぶトレンドランキング」でも、18年は「流行ったモノ」の2位が「ＴｉｋＴｏｋ」。「流行ったコト」の7位には、前述の「全力○○」がランクインしている。

ちなみに、マイナビティーンズラボのランキングでは面白い現象が起きている。20年の「流行ったモノ」ランキングの1位に「ＴｉｋＴｏｋ」が再び登場したのだ。コロナ禍で在宅が続き、オンラインでの交流が増えたこともあるだろう。同年の流行ったコト1位の「きゅんです」、8位の「やめチャイナ」、10位の「モアモアきゅん」もＴｉｋＴｏｋでの流行語だ。「きゅんです」は、ひらめの『ポケットからきゅんです！』という楽曲に合わせ、指ハートのポーズをした動画が流行した。「やめチャイナ」と「モアモアきゅん」はそれぞれ、シンガーソングライターのロイ‐ＲöＥ‐がカバーした相対性理論の『チャイナアドバイス』、アイドルグループ「ＺＯＣ」の元メンバーである戦慄かなののソロ曲『ｍｏｒｅきゅん奴隷』の中の1フレーズだった。

TikTokの強さの秘密
高い〝拡散力〟を生む3つの特性

ここまで見てきたように、TikTokではユーザーが投稿する動画（UGC／User Generated Contents）から、様々なブームが次々と自然発生的に生まれてきた。なぜ、それが可能になるのか。それはTikTokが他のプラットフォームに比べて、高い〝拡散力〟を有するからにほかならない。強さの理由として、機能面では以下の3つのポイントが挙げられる。

①独自のレコメンドシステム
②短尺動画の優位性
③拡散するための豊富な施策

①「独自のレコメンドシステム」は、ユーザーが未知の商品や人を知る＝送り手が新規のファンにリーチできる、TikTok最大のアドバンテージといえる。一般的なS

NSの場合、多くのユーザーは「フォロワー」の投稿を見ることが大半だ。だが、TikTokの場合は「おすすめ」フィードを見る人が多い。TikTokによると、「検索するより発見があるおすすめを見る人」は、他の主要プラットフォーム3社との比較で233・5％に上るという（マクロミル調べ／TikTok For Business「TikTokユーザー白書」2020年11月）。

初めての投稿が100万回再生されることも

その「おすすめ」には、自分がそれまでにいいねをした投稿、フォローしているユーザー、検索キーワード、最後まで見た投稿などの要素が独自の機械学習によって解析され、ユーザーが興味を持ちそうな動画が表示される。その結果、ユーザー自身が意識していなかったニーズを満たした動画と、突如として巡り合うという可能性を秘めている。

また、すべての投稿は一定数のユーザーのおすすめフィードに表示される。たくさんのいいねが付くなど、良いリアクションを得られれば、より多くの人のおすすめフィードに表示されるようになるため、フォロワーが少ないユーザーや始めたばかりのユーザーがいきなり大バズリ動画を生み出すことも珍しくない。TikTok Japanのトップを務める佐藤陽一ゼネラルマネージャーは「バズるか否かがフォロワー数に影響されやすい他のプラットフォームと違い、ＴｉｋＴｏｋでは初投稿した動画が１００万回再生されることも珍しくない」と明かす。

②「短尺動画の優位性」も強さの秘密だ。ＴｉｋＴｏｋは15秒の短尺動画サービスからスタートし、現在は最長3分までの動画を投稿できる。短い時間で楽しめるコンテンツが集約されているため、移動や待ち時間などの隙間時間にも楽しめる。しかも、スマートフォンでの視聴を意識して、縦スクロールで次のコンテンツに簡単に飛べる仕様であるため、数多くの動画に触れることもたやすい。ブームを起こすポテンシャルを持った動画に出合える確率が、格段に高いサービスなのだ。

また、動画が短尺であるということは、制作のハードルが低いということにもつながる。しかも、動画制作を容易にする「エフェクト」も多数投入し続けていることが、投稿される動画の数を増やすことを後押しする。

ＴｉｋＴｏｋの機能拡充を担うツールチームの葛上洋平氏は「毎月１００本は新たなエフェクトを投入していますが、手軽に楽しんでもらえるものを必ず入れています。何枚かの写真を選択するだけでスライドショー形式の動画が作れる『フォトモーション』や、写真の人物の表情を動かせる『ダイナミックフォト』などは、幅広い層に使われていますね」と話す。例えば、フォトモーションの「#本気出してみた」は、自分の冴えない写真を1枚入れ、以降はかっこよく撮れている写真を選択するだけで、音楽とエフェクトでおしゃれな動画が出来上がる。こうした新機能が次々に登場するため、ユーザーは試したいと思うのだ。

「ハッシュタグ」がブームを増幅

さらに大量のミームが自然発生した後は、③「拡散するための豊富な施策」が用意されている。その1つが「ハッシュタグ」機能だ。

ハッシュタグは動画に付けられている「#○○」をタップするだけで、同じ系統の動画を見られる機能。似た動画をたくさん見たいというときに便利なだけでなく、投稿主としてはフォローされていない人に閲覧してもらえるチャンスにもつながる。投稿に複数のハッシュタグを付ける人も珍しくない。

多くの人が利用する人気のハッシュタグは「トレンド」画面に表示される。試してみたくなるもの、季節に合わせたもの、自分の家族でできるものなど、バラエティ豊かなラインアップが日々更新されている。さらに、TikTokがキャンペーンとして「#チャレンジ」を仕掛けることもある。こうしたハッシュタグやトレンドの画面を通じて、火が付きかけた流行がさらに大きなものになっていく。

ＴｉｋＴｏｋのコンテンツストラテジーチームの石谷祐真氏は、「ＴｉｋＴｏｋ側としても、日々上がってくる様々な動画の中から流行しそうなトレンドの芽をいち早く発掘することを常に意識しています。運営側でも毎日10個程度の『#チャレンジ』を企画したり、企業とコラボレーションしたキャンペーンなども積極的に実施しています」と言う。

また、「この楽曲を使う」は、投稿に使われている曲名をタップすると、同じ曲を使っている投稿が表示されるとともに、ボタンを押すだけでその曲を使った動画を作成できる機能。同じ曲を検索する必要もないため、音楽を共通項としたミームがより簡単に作成できる。

常にポジティブな空気を保つのも魅力

こうした機能面での充実に加え、ＴｉｋＴｏｋで様々なブームが巻き起こるのは、そのサービス内の〝空気感〟にも大きな要因があるように感じられる。

ＴｉｋＴｏｋ以前、ネットでトレンドを拡散するツールといえば、テキストの交流を基本とするＳＮＳ「ツイッター」だった。「ＲＴ」（リツイート）ボタンを押すだけで、他のユーザーの投稿をフォロワーに見せることができるため、ユーザーからユーザーへと簡単に投稿が広がっていく。一方で、拡散するのは他人の言葉であるため、無責任にリツイートする人も多く、時には炎上や誹謗中傷に加担することもある。

しかし、ＴｉｋＴｏｋで流通する動画の場合は性質が少し違う。そこで拡散するＵＧＣはミームであっても、各々のユーザーが自身で制作したコンテンツにほかならない。結果として、ＴｉｋＴｏｋ内の空気はポジティブに保たれ、常にユーザー同士がサービスを楽しめる場として機能している。

前述の佐藤ゼネラルマネージャーは、「ＴｉｋＴｏｋはショートムービープラットフォームであって、ＳＮＳではない」とも言う。一般的なＳＮＳのようにフォロワーが多い人、例えば社会的立場が高く有名な人やインフルエンサーばかりが力を持つわけではない。気軽に投稿を楽しんでいるうちに突然バズって拡散していく、そんなパワフルな場がＴｉｋＴｏｋなのだ。

〝TikTok売れ〟の先駆け
音楽分野でヒットを連発

拡散力の高さを武器に、サービス開始1年目から様々なブームを起こしてきたＴｉｋＴｏｋ。ヒットを生み出す力がサービス外へも及ぶ〝ＴｉｋＴｏｋ売れ〟の先駆けは、音楽の分野だった。ＴｉｋＴｏｋ内で流行った動画で使われた曲のフル尺を聴くためにストリーミングサービスにアクセスするユーザーが急増、ヒットチャート上位にランクインする例が徐々に増えてきたのだ。

２０１８年に突如、リバイバルヒットしたのが『め組のひと』。オリジナルは１９８３年にラッツ＆スターがリリースした楽曲で、倖田來未が２０１０年に発売したアルバムにカバー曲を収録していた。ＴｉｋＴｏｋでは、このカバーバージョンを早回しにし、目の横に指を２本広げるポーズを決めて踊る動画が自然発生的にブームに。18年7月時点で再生数２億５０００万回超、投稿数55万４０００件超となった。すると、『め組のひと』は、18年5月末から「ＬＩＮＥ ＭＵＳＩＣ」でランキングが急上昇し、6月24日付のデイリーランキングでは1位を獲得。ヒットを受け、ＬＩＮＥ ＭＵＳＩＣ限定で『め組のひと（ＴｉｋＴｏｋ ｖｅｒｓｉｏｎ）』が配信されるに至った。

また、前述の「シリシリダンス」に使われたＭａｔｔｅｏの『Ｐａｎａｍａ』は18年8月に日本で正式リリースされ、その日のうちにＬＩＮＥ ＭＵＳＩＣのリアルタイムランキングで1位に。同月にはミクロマンサンライズ!!!による公式日本語カバー『シリシリダンス〜パナマ〜』も発売され、ミュージックビデオには双子ダンスで人気だった「まこみな」がＴｉｋＴｏｋで踊る様子も収められている。

音楽レーベルがＴｉｋＴｏｋへ急接近

こうした動きを受けて、音源を持つレコード会社側もＴｉｋＴｏｋへのアプローチを強める。18年10月にはエイベックスがＴｉｋＴｏｋと包括的楽曲ライセンス契約で提携、エイベックスが保有する約2万５０００曲（当時）を開放している。中華圏や韓国などを含め、アジア地域のユーザーがＴｉｋＴｏｋ内の動画に自由に楽曲を使えるようになった。同年12月には、ワーナーミュージック・ジャパンなどの16レーベルとも提携。その後、ソニー・ミュージックマーケティングやユニバーサル ミュージックなどのレーベルとも提携が進んでいる。

さらに音楽配信サービスとの連携も強化。エイベックスが出資するＡＷＡとは18年10月に提携し、18年内に約５００万曲までＴｉｋＴｏｋでの利用を可能とすると発表。ＡＷＡの登録ユーザーであれば、ＴｉｋＴｏｋ上で楽曲のフル再生もできるようになった。19年6月には、ＬＩＮＥ ＭＵＳＩＣとも提携。ＴｉｋＴｏｋで気になった楽曲があれば、リンクをタップするだけでＬＩＮＥ ＭＵＳＩＣに移動し、簡単に再生できるような仕組みを設けている。

こうして、ＴｉｋＴｏｋでの楽曲人気が、音楽配信サービスのチャートとより密接になる流れが生まれた。スマートフォンでＴｉｋＴｏｋを楽しみ、気になる曲があればタップするだけで配信サービスでフル尺が聴ける。音楽配信サービスを契約していない人がＹｏｕＴｕｂｅで楽曲名を検索したり、ダウンロードやＣＤで楽曲を購入することもある。こうして、音楽界においてはヒットの着火点として、ＴｉｋＴｏｋの存在感が強まっていった。

ＴｉｋＴｏｋのミームから『紅白』へ出場した瑛人

すると20年以降、ＴｉｋＴｏｋ発の楽曲がヒットチャートを席巻し始める。その象徴が、瑛人の『香水』だ。『香水』はインディーズのシンガーソングライターだった（当時）瑛人が、音楽ディストリビューションサービス「TuneCore」に配信していた楽曲。本人がTikTokで仕掛けることはなかったが、少しずつTikTokで「歌ってみた」動画や『香水』をBGMに使ったエモい動画が投稿されるようになり、自然発生的にリスナー層が拡大。FANTASTICS from EXILE TRIBEの中島颯太やナオト・インティライミなどプロのアーティストも「歌ってみた」にチャレンジしたことで、一気にバズにつながった。

ついには、CDセールス、ダウンロード数、ストリーミング数、Twitter、カラオケなど8種類のデータを合算したビルボード総合チャートで、『香水』が1位を獲得する（20年5月25日付）。11月5日には「2020ユーキャン新語・流行語大賞」にも『香水』がノミネートされるなど社会現象に。大みそかには瑛人が『第71回NHK紅白歌合戦』に初出場することとなった。

このほかにも、ストリーミング再生4億回を突破した優里の『ドライフラワー』、『ポケットからきゅんです！』が一般層に拡大したひらめ、18年の楽曲が突然スポットを浴びた川崎鷹也『魔法の絨毯』など、TikTokのユーザー動画から火が付いたヒット曲が次々と誕生している。

ライブ配信「TikTok LIVE」もローンチ

20年7月には新たなライブストリーミング機能として、「TikTok LIVE」がスタート。当時はTikTokの定める条件を満たした一定数のユーザーだけが配信できたが、現在は条件に達している16歳以上のユーザーなら誰でも利用できる。

同年10月には、韓国の人気ガールズグループBLACKPINKが約100分のライブコンテンツ「TikTok Stage with BLACKPINK」を配信した。『Lovesick Girls』のMVを流したほか、メンバーがファンからの質問に答えたり、お菓子を食べながら話したりと普段とは違う彼女たちを見ることができた。

生配信の機能も加わり、音楽アーティストにとってTikTokはさらに可能性を広げるメディアとなった。21年には星野源、米津玄師などのトップアーティストもアカウントを相次いで開設。最近では、リリース前の楽曲を真っ先に公開したり、短いフレーズの楽曲を複数配信してリスナーの反応の良い楽曲をフルバージョンとして制作するなど、TikTokで自ら仕掛けてヒット曲を生む手法を模索する動きもある。〝TikTok売れ〟を一足先に体現している音楽界では、すでに最重要のツールとなりつつある。

20年頃からTikTok発のブレイク曲が増加

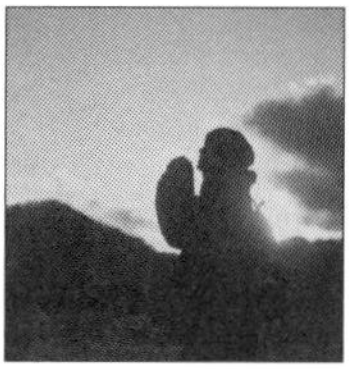

Rin音
『snow jam』
チル系のラップのサウンドで、20年2月頃からTikTok内で使われ大ヒット。ストリーミング再生回数は1億回超え。

瑛人
『香水』
19年下半期から「歌ってみた」動画が投稿され始め、その後各種チャート1位に。20年末に『紅白』初出場。

ひらめ
『ポケットからきゅんです！』
流行語「きゅんです」を歌詞に使った曲で20年6月頃からブレイク。TikTokの関連動画の総再生回数は約2億回。

yama
『春を告げる』
20年4月にリリースした初のオリジナル曲で、TikTokで注目を集めたことから、同年10月にメジャーデビュー。

和田アキ子
『YONA YONA DANCE』
「踊らにゃ損」と繰り返す中毒性の高いサウンドが21年秋からTikTokでウケ、MVの再生回数は1000万回超え。

川崎鷹也
『魔法の絨毯』
18年発売ながら、20年夏頃から恋愛系の動画のBGMに使われ話題に。MVの再生回数は5000万回を超える。

INTERVIEW

TikTokは「音楽ヒット」の着火点に アーティストの活用方法も多様化

TikTok Japan, Music Operation, Strategic Partner Operation Senior Manager
宮城太郎

2020年に瑛人の『香水』、20年後半から21年にかけて優里『ドライフラワー』や現役女子高生（当時）シンガーAdoの『うっせぇわ』——。TikTokにて人気を集めて国民的大ヒットとなる楽曲は、ユーザーたちが動画のBGMとして使ったり、歌や演奏をカバーして投稿するなど、自然発生的に盛り上がるものが多い。これまでは踊れる曲や弾き語り曲が人気を集めてきたが、TikTok音楽チームの宮城太郎氏は「その傾向に変化が見られる」と語る。

サビで『うっせぇわ』と連呼するようなインパクトのある曲は、ダンス動画をはじめ、様々な動画のBGMとして使われやすいし、最後まで見られる率も高い。20年にブレイクしたyamaさんの『春を告げる』もイントロがいきなりなくなり、「深夜東京の6畳半」と始まるインパクト系の曲でした。

このほか、抽象的な歌詞の曲は様々な動画コンテンツに使いやすく、具体的な歌詞であればエモい動画に向くといった傾向があります。サウンド的には、途中に分かりやすい転換点のある楽曲は、ユーザーがそこに合わせて動画を編集しやすいため人気ですし、特徴的なフレーズのある曲も中毒性がありよく使われます。

ただ21年に入って、バズる楽曲の傾向は多様化してきたなという印象がありますね。人気を集める音楽ジャンルが瑛人さんのような弾き語り系やYOASOBIなどのネットミュージックがメインだったのが、ヒップホップ、ロックなど幅を持ち始めました。

ヒップホップでは、21年に『TEENAGE VIBE feat. Tohji』という曲がヒットしました。この曲に、オリジナルダンスをTikTokに投稿している3人組ダンサーグループのローカルカンピオーネというクリエイターが振りを付けてバズり、他のユーザーもまねするという状態になったんです。面白いのは、『TEENAGE VIBE feat. Tohji』の歌詞に連動した振りが付いているというところで。結果、この曲のポジティブさみたいな部分もユーザーにきちんと伝わり、「この曲も好きだし、ダンスも好き」とバズっていった感じはありますね。

昔は、「なんとかダンス」みたいに、「この振り、面白いよね」とダンスだけが盛り上がっていったんですけれども、今は「楽曲自体もいいよね」という共感がないとバズりにくい傾向にあると感じます。

ロックでは、クリープハイプやマカロニえんぴつなどのメジャーではない楽曲も、ユーザーが拾い上げて人気になるというケースが続いています。例えば、マカロニえんぴつは、インディーズ時代の『洗濯機と君とラヂオ』という曲が、突然ユーザーの間で盛り上がりました。クリープハイプは、20年10月にアカウントを開設したのですが、1年たって投稿数は6本という状態(笑)。でも、過去曲のイントロだけを使った動画が盛り上がったこともあって、ユーザーがこういう部分をフックアップするんだという新鮮な驚きがありましたね。

TikTokでは投稿数が少なくても、そもそもアカウントを開設していなくても、登録さえされていれば楽曲がバズるケースは多々あります。ただ、アカウントがないと、その楽曲を使ったユーザーをアーティスト自身のファンへとつなげることができない。アカウントを開設するアーティストには、楽曲をバズらせることと、新たなファンの獲得の2軸の狙いがあると考えています。

自ら仕掛けてヒットを生むアーティストが増加

様々なTikTok発ヒットが生まれてきた音楽分野。〝TikTok売れ〟をいち早く体現したこのジャンルでは、自然発生的な広がりに任せるだけでなく、自らTikTokを積極的に活用するという点でも先行している。

優里さんは使い方がうまいと思いますね。『ドライフラワー』を発表した際は、自身はハモりパートを歌い、その動画に合わせてユーザーが主旋律を歌うと、まるで優里さんとデュエットしているかのような動画を作れるコラボ企画を実施していました。21年7月に新曲『シャッター』をリリースする際には、まずTikTokで音源の一部を先行配信しています。

彼のように、最近は音源をTikTokで先出しするアーティストは多いですね。短尺なので先行配信とは呼ばないかもしれませんが、まずTikTokに出して、ユーザーにBGMとして使ってもらうというケースが増えています。

さらに積極的に、TikTokのユーザーを巻き込んだ取り組みに挑戦するアーティストも増えています。三代目 J SOUL BROTHERS from EXILE TRI

ＢＥが21年8月に配信リリースした『線香花火』は、ＴｉｋＴｏｋユーザーから募った夏のエピソードをもとに歌詞を作ったユーザーとのコラボ企画。完成した楽曲は配信前にＴｉｋＴｏｋ ＬＩＶＥで初公開しました。兄弟ユニットの鈴木鈴木は、曲のタイトルをユーザーに決めてもらう企画を行っています。コメント欄で募集したところ１５００ほどが集まり、決定したタイトルも動画で告知するなど、うまく使っているなと思います。

大物アーティストも続々参入。プロモーションの要所に

音楽でいえば、ＴｉｋＴｏｋに期待されるのは「着火点」の役割。様々な施策をまずＴｉｋＴｏｋで走らせてＵＧＣを稼ぎ、ＹｏｕＴｕｂｅや音楽配信サービスでの再生につなげていく。点ではなく線で考えたときにＴｉｋＴｏｋが着火点となるのは、新規ファンを捕まえやすいプラットフォームだからですね。フォローしていない人が投稿した動画も流れてくる「おすすめ」フィードを見るユーザーが多いので、自身に関心を持っていない人にも届き、新規ファンを捕まえるのに適しています。また、「短尺で興味をもったらフル尺を」とＹｏｕＴｕｂｅに誘導するケースは増えていると思います。

21年に入って絢香さん、森山直太朗さん、星野源さん、米津玄師さん、郷ひろみさん

などにアカウントを開設していただきました。絢香さんは、優里さんやVaundyさんなどのカバー動画を投稿してくれたのですが、いきなりバズっています。やはり素晴らしい歌唱力ですので、ユーザーの反応も違いますね。

米津玄師さんは、21年6月にシングル『Pale Blue』のリリースのタイミングでアカウントを開設しました。収録曲の『死神』のミュージックビデオから、出囃子で登場して落語をするシーンを投稿されたんですが、その映像とともに「TikTok始めます」と告知をしたので、その動画の再生回数はすごかったですね。

僕たちの中長期的な目線としては、プロモーションの場としてTikTokが重要なプラットフォームであると、インディーズから著名アーティストにまで広く認識されること。そんな存在を目指して成長していきたいと思っています。

"TikTok売れ"が拡大
リアル消費へも大きな影響力

2020年6月末のある日突然、スターツ出版のもとへ、小説『あの花が咲く丘で、君とまた出会えたら。』（以下、『あの花』）の注文が殺到し始めた。同書が発刊されたのは16年7月。スターツ出版にとっては発刊から4年近くたった旧作であり、特にプロモーションなどを仕掛けたわけではない。

当初は「何が起こっているのか分からなかった」と語る同社は、ネットやツイッターなどで検索するも要因を見つけられない。すると、1人の若手社員から報告が入った。「今、TikTokでバズっていますよ」――。『あの花』人気は一時的なブームにとどまらずに売れ続け、20年5月時点で約2万部だった売り上げ部数が、21年7月時点では20万部を超えるヒットとなった。

TikTokでバズったきっかけは、20年6月18日に投稿された一般ユーザーからのレビュー動画だった。その内容は、バラード曲に乗せて表紙を撮影した映像に、「本当に全人類に見てほしい本。もう大号泣どころじゃない。身体中の水分持ってかれる😭そして映画化して欲しい。」（原文ママ）とのコメントを添えただけのシンプルなもの。しかし、ＴｉｋＴｏｋユーザーの共感を集め、いいねが27万件以上、コメントも３０００件を超える反響を集めた。

『あの花』に続いて、累計発行部数43万部超となった『桜のような僕の恋人』（集英社文庫）、ＴｉｋＴｏｋにてレビュー投稿があった後に売り上げが平時の9倍にまで急増した『恋に至る病』（メディアワークス文庫）など、レビュー動画をきっかけに部数を伸ばす事例が続出している。

共感コメントが集まるＴｉｋＴｏｋのレビュー動画

20年、ＴｉｋＴｏｋの影響力は音楽やお笑いといったエンタテインメント分野以外にも広がり始めた。その鍵となったのは、ユーザーが商品やサービスのポイントを紹介する「レビュー動画」だ。ＴｉｋＴｏｋでは、19年頃から映画や書籍などの感想をまとめた動画を投稿するユーザーが増加している。

レビューは、他のＳＮＳやウェブ媒体でもよく見られるメジャーなスタイル。では、なぜTikTokのレビュー動画は盛り上がり、さらには実際の売り上げにもつながるのか。その大きな要因として考えられるのが「コメント機能」だ。

『あの花』と『桜のような僕の恋人』が売れるきっかけとなったレビュー動画には、どちらも3000を超えるコメントが付いている。その書き込み内容を見ると、「気になっていました」「動画とコメントを見て読んでみたいと思いました」といった意見とともに、実際に読んだことのある人から「本当に感動するので私もおすすめ!」などの共感コメントや「私はこう思った」などの意見が並ぶ。このように、1冊の書籍に対する様々なユーザーからの意見が集まり、ある種、動画が1つのコミュニティになっているのだ。スターツ出版・書籍コンテンツ部の今泉俊一氏は、「これまで学校の教室で行われていた、友達から友達への〝おすすめ〟が、全国規模で行われているのがTikTokという場」と分析する。

では、なぜコメントがこれほどまでに書き込まれるのか。TikTokのコンテンツストラテジーチームの石谷祐真氏は「TikTokがショートムービーのプラットフォームであることが大きく影響している」と語る。「最後まで動画を見ずに、その動画に対して意見やコメントを付ける人は少ないと思います。TikTokは短尺なので最後まで動画を見られる可能性が高い。そして、何かしらの感想を持った人は、他のユーザーがどういう風に反応しているのかが気になる。それに対して、自分はこう思ったと伝えたいというように、コメント欄を開く、読む、書き込む、という方が多くなっています」。

コスメ、飲料、菓子…〝TikTok売れ〟が広がる

書籍のヒットが続いたことで「TikTokで話題になるとモノが売れる」という空気が漂い始めた20年、TikTokでは映画や書籍などエンタテインメント分野のみならず飲料や菓子、コスメなど様々なジャンルのレビュー動画が投稿されるように。20年後半から、多岐にわたる分野で動画を着火点とするヒットが出ている。

例えば、大塚製薬の炭酸飲料「ファイブミニ」は21年4月下旬、日販平均で販売が突如2倍以上に。担当者は理由が分からず、ツイッターなどをリサーチすると、「飲んだ次の日すっきり」「めっちゃ出る」など、ファイブミニを飲んで効果があったことを伝えるコメントと共に、商品の瓶を各種映像エフェクトで加工しBGMを付けたTikTokの投稿動画にたどり着いた。

ドイツメーカーの菓子「地球グミ」は、地球儀のようなかわいらしい見た目に加え、噛むとマグマをほうふつとさせる赤いジャムソースが出てくる、食べた後には舌が青く

なるといった動画映えする面白さが詰まっていることからＴｉｋＴｏｋで人気が爆発。売り切れが続出するまでになった。トレンダーズが運営するＳＮＳトレンドとＺ世代インサイトの研究機関「ミームデイズ」が21年6月29日に発表した「10代女性の２０２１年上半期トレンド」のアイテム部門で、「地球グミ」が1位に選ばれている。

21年前半には「ＴｉｋＴｏｋで話題になったモノは売れる」との認識が定着。ついには〝ＴｉｋＴｏｋ売れ〟なるワードが世をにぎわせるようになった。月刊誌『日経トレンディ』が同年11月に発表した「２０２１年ヒットランキング」では、「ＴｉｋＴｏｋ売れ」は第1位にランクインしている。

ＴｉｋＴｏｋで動画を見て知った商品をユーザーが手にする。一見するとこの行動は、これまで他のＳＮＳで起こっていた現象と同じように見えるかもしれない。だが、ＴｉｋＴｏｋでモノが売れる現象は、実はまったく背景が異なる。

これまでのＳＮＳで得られる情報は、知人や有名人、インフルエンサーなどユーザーが自らの意志でフォローしている人物から入手したもの。だが、独自のレコメンドシステムを持つＴｉｋＴｏｋでは、ユーザーが〝自分ではまだ気が付いていない〟、興味がある可能性を持つ動画が「おすすめ」フィードに流れてくる。これまでのように自身での検索や、友人知人からのレコメンドでは得られなかったものに出合うことができるのだ。
また、多くの動画の長さが基本的に1分以下という短尺であることから、興味を持った動画は最後まで見る傾向が高い。その結果、TikTokはこれまで知らなかった情報を偶然知るという場になりやすい。

こうして、自分でも気づいていなかった関心のある動画に出合ったユーザーが、消費へと行動を移すのが、これまでとは全く異なる〝TikTok売れ〟というわけだ。

コンテンツの幅が広がり、TikTokの影響力も拡大

「TikTokといえばダンスやネタ系」との印象を持つ人がまだまだいるかもしれないが、レビュー動画が〝TikTok売れ〟につながったように、TikTokで人気を集めるコンテンツはここ数年で多様化している。

昨今、大きな盛り上がりを見せるジャンルの1つは「レシピ」だ。コロナ禍で「おうち時間」が増加したことにより、家で作るとテンションが上がるような楽しいレシピを投稿するユーザーが急増。TikTok発のトレンドレシピが続々と生まれている。

21年2月頃から大ブームとなっている「ペッパーランチ」は、ホットプレートに牛肉、

ライス、コーン、ネギ、バターと焼肉のタレを乗せて混ぜて食べるメニュー。「#ペッパーランチ」のタグをつけて投稿された動画の総再生回数は1・7億回を突破した。ペッパーランチのブームは、このレシピのネタ元となっているレストラン「ペッパーランチ」にも飛び火。SNSで「本家に行ってきた」というコメントが相次いだように、ブームをきっかけに店舗に足を運ぶ人も増えているという。

このほかにも「教育」や日常生活のなかでの出来事を伝える「Vlog」といったジャンルの動画も盛り上がりを見せている。さらに、各ジャンルからはフォロワー数が100万人を超えるような人気クリエイターも誕生している。

例えば、グルメ・レシピ系では、調理師免許を持つ俳優の池田航のアカウント「池田航~オム王子~」が約110万人。Vlogでは、日常生活をコミカルなナレーションを添えた動画で発信する現役大学生の修一朗が約200万人、教育系ではすぐに使えるフレーズから笑える小ネタまで英語動画を投稿する「Kevin's English Room」が約120万人のフォロワー数を誇る。

ジャンルの多様化に大きな影響を与えているのが、機能の拡充だ。TikTokでは日本を含む世界各国のツールチームがエフェクトや動画編集機能の企画・開発に取り組んでおり、次々と新機能を投入。例えば、20年5月に「アフレコ機能」、21年1月には「自動字幕機能」、そして21年7月には「読み上げ機能」という動画編集機能が搭載された。これらの機能を用いた新発想の動画コンテンツが生まれている。

「アフレコ」「字幕テキスト」機能で有用性の高い動画を

アフレコ機能は、動画撮影後に音声を追加できるというもの。それまで音声を載せる場合は、動画を撮影しながら話す必要があったため、例えば飲食店を紹介する動画では、その場で味を説明するのが難しかった。だが、アフレコ機能の登場以降は、店の外観から味の感想までを詳細に伝える、より有用性の高い動画が増えている。

字幕テキスト機能は、レビュー動画や教育系動画の表現の幅を広げるのに一役買った。レビューや教育コンテンツでは言葉で伝えることが重要だが、たくさんの情報を伝えようとすると早口になり、ついていけないという視聴者も出てしまう。だが、字幕テキスト機能を用いれば、重要な情報を効果的に伝えることができるというわけだ。

さらに、今後は「翻訳機能」の搭載なども計画しているという。新たな動画編集機能の登場は、これまでになかったコンテンツを生み出す可能性を秘めている。

TikTok売れは〝待つ〟から〝生む〟時代へ
多様な企業がプロモーションに活用

スターツ出版が発刊した小説『あの花』のヒットを幕開けに、2020年後半から「ファイブミニ」「地球グミ」など様々なジャンルの商品が、TikTokでの紹介投稿をきっかけに大ヒットする事例が続出するようになった。

21年に入ると、企業のマーケッターや代理店などの間では「TikTokでバズったモノは売れる」との認識が徐々に定着し始めた。自社アカウントを開設してユーザーとのコミュニケーションに取り組んだり、TikTokで広告プロモーションを展開する企業も目立つようになった。そう、ユーザーの投稿による自然発生的なヒットを待つフェーズから、自ら仕掛けてTikTok発のヒットを狙うフェーズへと移行したのだ。

2つの広告メニューを活用して成功する企業が増加

TikTokでは、18年夏頃から広告ビジネスへの取り組みを強化し、様々なメニューを用意している。現在の広告メニューは、「スタンダードメニュー」と「T i k T o kオリジナルメニュー」の大きく2つに分けられる。

「スタンダードメニュー」は、他の一般投稿の合間に流れる、いわゆる動画広告。ショートムービープラットフォームであるT i k T o kにおいてもっとも基本的な広告であり、T i k T o kによると現在80％以上がこのメニューを利用しているという。

なお、動画広告の表示方法は、アプリ起動時に表示されることから1日でT i k T o kユーザーに最大級のリーチができる「T o p V i e w」や、ターゲットとしたいデモグラフィック、男女、年齢などを絞って配信する「インフィード広告」など様々な選択が可能。昨今では、1回だけではなく、T o p V i e wとインフィード広告を組み合わせるなど複数回の配信で成果を収める企業も現れている。

なお、動画広告が流れた際、T i k T o kユーザーは他の投稿の合間に好きなタイミングでスキップすることが可能だ。つまりユーザーが興味・関心を持つ内容であったり、役立つ情報であると瞬時に伝えることができなければスキップされてしまう可能性がある。このため、動画広告を出稿して高い成果を収める企業の事例を見ると、T i k T o kの最新トレンドに合わせて既存の動画を再編集するなど、T i k T o kらしさを追求した動画を作成したケースは多い。一方で、他のSNSやメディア用に作成した動画をそのまま活用する場合でも高い効果を生んでいる。

TikTokの調査によると、「TikTokの広告動画はつい最後まで見てしまう」と回答したユーザーが主要プラットフォーム3社比で144%、「TikTokで流れる広告はストレスを感じない」が同147%など、広告であってもユーザーにハマった場合は好印象を得られるという結果が出ている（マクロミル調べ／TikTok For Business「TikTokユーザー白書」2020年4月、11月）。

もう1つの「TikTokオリジナルメニュー」は、「同じポーズをとろう」などお題となるテーマにユーザーが取り組む「ハッシュタグチャレンジ」や、「目が大きくなる」「髪の毛の色が変わる」など動画を撮影する際に使用する「エフェクト」といった、TikTokならではの機能を広告に活用するものだ。

TikTokオリジナルメニューでは、ユーザーが〝参加してみたい〟と思えるようなテーマやエフェクトを設定できるかが成功の鍵。ユーザーの関心を集め、ユーザーがそのお題に沿った動画を投稿してくれれば、一般的な広告とは全く異なり、ユーザーの力で拡散していくことが期待できるのだ。例えばブランドエフェクトでは、歯磨きのプロモーションのために「歯が白くなる」エフェクトを投入したり、企業やブランドのマスコットキャラクターに変身できるエフェクトを制作するなど、様々なアイデアで成功する事例が生まれている。

TikTokクリエイターも拡散の大きな力に

「スタンダードメニュー」と「TikTokオリジナルメニュー」ともに、TikTokユーザーの関心をいかに集められるかが重要なポイントとなる。そこで、ユーザーに人気のTikTokクリエイターを活用する企業も多い。

サービスのローンチ当初はダンスやお笑いといった内容で人気を集めるクリエイターが多かったが、現在はレビュー、グルメ、美容、ファッション、教育などジャンルの多様化が進み、各ジャンルから50万人、100万人といったフォロワーを擁するクリエイターが登場。また、例えば同じ美容系でも、メイク術を教えるクリエイターから、商品の成分などを解説するクリエイターまで得意分野は人によって異なる。そこで運営側は、TikTokの人気クリエイターには、どのような動画作成を得意とする人物がいるかという情報を集積したプラットフォーム「TikTok Creator Marketpla ce（TCM）」を用意し、出稿を考える企業とマッチングを図っている。

成功の方程式が見えてきた

TikTokでは、どのような動画や仕掛けが「認知・購買意欲・ブランド好感度」などに影響を与えるのかという、広告の効果測定調査を行っており、そのノウハウが蓄積され始めている。また、それぞれの成功パターンをつかんだという企業も増加している。UGCが人気を集めるプラットフォームであることから、TikTokは戦略を立てて成功するのは難しいともいわれるが、その状況は変わりつつあるのだ。

PART2では、いち早くTikTok活用に取り組み、それぞれに成果を収めた企業を紹介する。そのケーススタディのなかには、あなたがすぐに実践できるであろう戦略もあるはずだ。

TikTok発
ヒット商品

旧作の書籍が突如ヒット。ファッション・コスメにも影響力

朝日新聞出版
『むらさきのスカートの女』今村夏子

19年発売。21年3月に「ほんやのなす」が動画で紹介すると、同月の売り上げは1月・2月比で約3～4倍の伸び。

中央公論新社
『残像に口紅を』筒井康隆

95年発売の小説。21年7月にクリエイター「けんご」の紹介動画でバズり、約3カ月で11万5000部の重版。

集英社文庫
『桜のような僕の恋人』宇山佳佑

17年2月発売。20年7月頃からバズり、月の売り上げ400％増が半年近く続く。TikTokで話題後、30万部重版。

メディアワークス文庫／KADOKAWA
『恋に至る病』斜線堂有紀

20年3月発売。20年8月の投稿をきっかけに、売り上げが平時の900%まで急増。以降、13カ月連続で重版。

石澤研究所
「毛穴撫子 お米のパック」

20年頃から美容系TikTokクリエイターのやみちゃんなどが動画を上げて話題に。売り上げが大幅アップ。

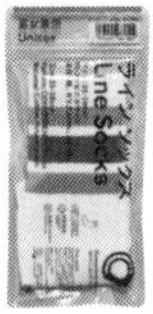

ファミリーマート
「ラインソックス」

企業カラーを配色したデザインが“ファミマソックス”の愛称で大人気に。関連動画の再生数は820万回超え。

スターツ出版
『あの花が咲く丘で、君とまた出会えたら。』汐見夏衛

TikTokで話題になるとリアルな場でもモノが売れることを世間に広く知らしめた最初の事例は、スターツ出版の小説『あの花が咲く丘で、君とまた出会えたら。』(以下、『あの花』) だ。

2016年7月に発刊された『あの花』は、4年近くたった20年6月末に事態が急変。TikTokに投稿された一般読者からのレビュー動画をきっかけに、なんと前週比3325％増という驚異的な売り上げを記録した。

発刊から月日がたった作品であったことから、市中の書店やウェブ上の販売サイトには在庫がほとんどなかったため、スターツ出版のもとには注文依頼が殺到。同年７月に5000部を増刷するもすぐに売り切れ、その後は毎月のように増刷を重ねて、20年5月時点で約2万部だった売り上げ部数は、21年7月時点で20万部を超えるヒットとなった。

スターツ出版・書籍コンテンツ部の今泉俊一氏は、この一連の要因を次のように分析する。「『あの花』は学生をターゲットとするレーベル『スターツ出版文庫』から発刊していますので、本のターゲットとTikTokユーザーの親和性が高いことが話題となった要因の1つだと思います。そして、TikTokの大きな特徴が、動画のコメント欄が盛り上がる点。動画を見たユーザーのコメントが集まり、さらにそのコメントにもコメントが付けられるので掲示板のように盛り上がっていくんです」。

一般ユーザーの投稿は、バラード曲に乗せて表紙を撮影した映像にコメントを添えただけの非常にシンプルな内容。しかし、ユーザーの共感を集め、いいねが27万件以上、さらに3000件を超えるコメントが寄せられている。

TikTokを見てリアル書店に小説を買いに来るユーザーが多いという点もスターツ出版を驚かせた。そこで同社は、書店向けプロモーションとして増刷の際に、小説の帯を「TikTokで超話題！」という文句とTikTokのロゴを使ったものに差し替えている。

ミリオンヒットの菓子続出。おうちごはんのブームも生む

Trolli

「プラネットグミ」(地球グミ)

ドイツの菓子メーカー「トローリ」のグミ。噛むとマグマを彷彿させる赤いジャムソースが出てくる、さらに食べた後には舌が青くなるといった面白さが受け、大きな話題に。輸入元の豊産業では20年秋頃に初めて少量入荷し、21年春に2度目の入荷をした頃よりTikTokで人気が爆発。21年秋には、同シリーズの「ポップアイ」(目玉グミ)と合わせて100万袋以上を販売した。

@uryo1113

「オレオアイス」

「オレオ」を砕き、牛乳を注いで作る21年夏の人気レシピ。「りょうくんグルメ」の動画に19万いいねが付いた。

NERDS

「ナーズロープ」

カラフルピースをコーティングした不思議な食感のグミ。21年5月から10月末までで累計約170万個突破。

「ペッパーランチ」

21年2月からTikTokで大ブームとなったフードトレンド。ホットプレートに牛肉、ライス、コーン、ネギ、バターと焼肉のタレを乗っけて混ぜて食べるというレシピで、関連動画の総再生回数は1.7億回を突破した。ネタ元は、レストラン「ペッパーランチ」の人気メニュー「ビーフペッパーライス」。ペッパーランチを運営するホットパレットによると、「若い世代の来店、女性顧客が増加した」という。

大塚製薬
「ファイブミニ」

「コンビニの購買データがPOS（販売時点情報管理）で跳ねています。マーケ側で何か仕掛けているんですか」

2021年4月下旬、営業担当者からの報告を受けて、POSデータを確認したところ、確かに日販平均で、炭酸飲料「ファイブミニ」の販売が2倍以上も上がっている。SNSの担当に問い合わせてみても、理由はよく分からない。大塚製薬ニュートラシューティカルズ事業部製品部オロナミンC APMM兼ファイブミニ担当の小出莉央氏は「何だろうと調べていたら、Twitterのタイムラインで話題になっていた」と振り返る。さらに発信源をたどるとTikTokに行き着いた。

「飲んだ次の日すっきり」「めっちゃ出る」。TikTok上では、ファイブミニを飲むことでおなかの調子に関する効果があったことを伝えるコメントと共に、ファイブミニの瓶に音楽と各種の映像エフェクトを組み合わせた動画が多数出てきた。

ダイエットの投稿で有名なインフルエンサーが、ファイブミニや寒天と組み合わせたオリジナルドリンクのレシピを考案して、作り方を紹介していたこともTikTok内の流行に拍車をかけていた。「『どこに売っているの？』といった動画に付いたコメントを通してコンビニでの販売につながった」（小出氏）。その後も「#ファイブミニ」が付いた動画の視聴回数は伸び続け、21年8月上旬の段階で2000万回を超えている。

ファイブミニの従来の想定利用者層は30代～50代の男女。「ファイブミニ担当は6年目だが、若者の間でSNSでここまでバズったのは初めて」と小出氏は話す。今回の盛大な「バズり」は若者層にアピールする好機と見て、21年8月上旬からTikTokでもインフルエンサーを起用したPR動画の配信を開始した。「これまでのボリューム層に加え、若い層に広げていくことで生涯顧客を作っていきたい」（小出氏）と意気込む。（日経×TREND 2021年8月18日公開記事を再構成）

INTERVIEW

エフェクトや編集機能の拡大が新たな動画ジャンルのトレンドを生む

TikTok Japan,
Tool Operation Specialist
葛上洋平

TikTokはユーザーからの投稿があって成り立つプラットフォームだ。誰でも簡単に撮影・編集ができる環境を整えることは、TikTokを展開していくための基本であり、かつ重要な取り組みとなる。そのため、TikTokではアプリ一つで簡単に撮影から投稿までが可能になる様々な機能の開発に余念がない。そして、その役割を担うツールチームの葛上洋平氏によると、「新しい機能の搭載が、投稿動画の多様化にも影響を与えている」という。

TikTokアプリで、撮影ボタンを押してから投稿するまでに使用するツールは大

き く2つに分けられます。1つは、画像認識技術を用いて目を大きくしたり、髪の色を変えるなど、撮影時に使用する「エフェクト」。もう1つが、撮影した動画に字幕を入れたり、声を加えるなどの処理を行う「編集機能」です。ツールチームではこれらのツールの企画から公開後の普及・PRまでを行っています。

エフェクトは月に100種類以上新たなものを投入していますが、その開発経緯は様々で、①運営チームが企画、②季節性の大きなイベント、③クリエイターからのリクエスト、④有名人や企業とのコラボレーションなどがあります。

まず、①の運営チームの企画ですが、TikTokでは世界各国にツール開発チームがいて、アイデアを出し合っています。例えば、画面上に2つの拡大鏡があり、そこに目を合わせると音楽に合わせて目が大きくなる「ズームレンズ」は、日本企画のエフェクトで、世界的に流行りました。企画時には、TikTokのトレンドや世間の状況を意識しているのですが、TikTok内のトレンドは移り変わりが早いので、非常に早いスケジュールで開発を進めています。2021年3月に『Sugar Crash』という楽曲を用いた投稿が流行った際には、この曲がブームになり始めていると把握してから3～4日後には関連のエフェクトをリリースしました。

昨今人気を集めたエフェクトに、ペットがどんなことを考えているかなどを翻訳してくれる「ペット翻訳機」というものがあります。これは在宅時間が増えてペットを飼われる方も増えているというデータがあったことから、ペットを撮影して投稿してくださる方が増えるのではないかと考え、企画・リリースしました。また、TikTokには技術開発チームがおり、そこから生まれた最新技術をエフェクトとしてリリースするケースもあります。21年8月にリリースした「誰でも浮世絵」は、写真に映った顔を加工する新しい技術の活用方法として作った、写真が浮世絵風になるエフェクトです。

②の季節性イベントは、ハロウィンやクリスマスといった、季節ごとのイベントに合わせて投稿を楽しんでもらえるようなエフェクトです。例えばハロウィンですと、毎年60種類ほどの専用エフェクトを制作して、公開しています。

③のクリエイターからのリクエストに関しては、コメントなどで利用者の声を集められるよう「TikTok Effectトレンド」というアカウントを運用しています。グローバルでリクエストを受け付けているので、かなりの数が日々集まっていますね。また、定期的にクリエイターにインタビューを行い、ニーズも聞いています。近年は性別を問わずに使える、自然に見えるメイク系エフェクトを増やしているのですが、これは複数の男性クリエイターへのヒアリングで「『涙袋』というエフェクトがナチュラルに見える」と評判だったことがきっかけです。

有名人や企業のニーズを機能で満たす

自社の戦略やユーザーのニーズを満たすためのエフェクト開発は比較的想像しやすいが、興味深いのは④のコラボレーションだ。21年6月、米津玄師が新曲『Pale Blue』をリリースした際には、ユーザーが6枚の写真を選ぶと、同曲に乗せたスライドショー風の動画が作成できるフォトモーション機能「ずっとずっとずっと恋をしている」を公開。この機能を使った投稿は、リリースから1カ月で1万6000件を超えた。

コラボレーションは、私どもから提案する場合もあれば、先方からリクエストが来る場合もあります。最近では米津玄師さんとコラボレーションしました。コラボレーションの対象が楽曲の場合は、その世界観を伝えることが大切です。特定の曲に合わせて動画が作成できるフォトモーション機能は、しっとりした楽曲のイメージとも相性がよく、ユーザーのみなさんにも好評です。

一方、動画撮影後に使用する編集機能の企画・開発にも余念がない。20年5月に「アフレコ機能」、21年1月に「自動字幕機能」、21年7月には「読み上げ機能」を投入した。

新たな編集機能を搭載したことで、グルメやペット、Vlogなど、自分以外の被写体を撮影した動画の増加につながったと感じています。実は、日本では顔出しをしたくないという方が多い傾向にあるのですが、例えばペットの動画にアフレコ機能を使って声を載せれば、顔を出さなくても面白い動画が作れるので。Vlogでもできるだけプライバシーを守りながら生活の一部を切り取って投稿される方が増えています。

また、これらの機能を用いた動画は、視聴する側にとっては情報量が増えるのもメリット。例えば、料理を映した動画だけでは、たまたまおすすめフィードで見たユーザーにはどんな店のどんな料理なのかが分かりません。字幕を付け、音声で解説をすることで情報量が増え、動画を積極的に見るきっかけになっていると感じます。こうした編集がTikTokのアプリ1つで気軽に簡単に作成できるようになり、より魅力的な動画が増えたと考えています。

機能でクリエイターの海外進出を支える

TikTokで人気を集めるトップクリエイターのなかには、海外で人気を集める人物も多い。エフェクトや編集機能は彼らの海外人気も支えている。

TikTokは、フォロワーがゼロでも動画が面白ければ、日本だけでなく世界中でバズる仕組みになっています。そのような特徴をふまえて、言葉を必要とせずに伝える機能も付加されてきました。今、特にフォロワーが多い日本のクリエイターは、言葉がなくても楽しめるノンバーバルな動画を投稿される方が多いです。その1人であるマジシャン シンさんは「驚愕フェイス」というエフェクトを活用したフォーマットがバズって、一気にフォロワーが増えました。こういった事例から、エフェクトはクリエイターの世界的な活躍の支えにもなると感じています。

また、具体的な時期は未定ですが、翻訳機能の開発も進めています。日本人クリエイターの作品が、海外のユーザーにも受け入れられやすくなるのと同時に、海外で人気のコンテンツも日本に入りやすくなるように、との考えからです。

昨今、ONE N' ONLYさん（186P参照）やももいろクローバーZさんなど、海外でバズるアーティストさんの事例が出てきていますが、自然発生的な事例が中心です。海外進出を考える芸能事務所さんやレコード会社さんに、より戦略的にTikTokを使っていただければという思いもあります。

INTERVIEW

レシピ、グルメ、教育などの動画が増加 実生活にも役立つアプリに

TikTok Japan, Content Strategy Manager
石谷祐真

TikTokでは、日々膨大な数のショートムービーが集い、新しいトレンドやムーブメントが誕生し続けている。日本でのサービス開始当初は、ダンスやリップシンク、面白ネタ系の動画が人気を集めたが、今ではコンテンツの多様化が急速に広がっている。昨今の人気ジャンルの傾向から、ジャンルに広がりをもたらす未来予想図までを、TikTokのコンテンツ戦略を担う「コンテンツ・ストラテジー・チーム」の石谷祐真氏に聞いた。

我々のチームは、TikTok内のコンテンツの全体戦略を担っていくのが役割です。

分かりやすいところでは、ユーザーの投稿や視聴を盛り上げるために「ハッシュタグ・チャレンジ」の企画・運営をしています。

ハッシュタグ・チャレンジにはいろいろな活用方法があり、5月は「母の日」、7月は「TikTok夏祭り」、10月には「ハロウィン」といったシーズンものや、ユーザーの投票で決める「TikTok流行語大賞」などの企画もあります。その一方で、これから流行りそうなトレンドの芽をいち早く発掘して、その盛り上がりを大きくしていくのも我々が担う重要な役割です。

トレンドは「名前を付ける」ことで生まれる

TikTokでは毎週・毎日のように新たなコンテンツが生まれていますが、トレンドの芽には必ずしも共通の名前があるわけではないんです。例えば、みんながある音楽に合わせて投稿をしているのだけれど、共通の名前がないので、流行っていると伝わりにくいといったことがよくあります。そういった場合に、ハッシュタグ・チャレンジとして名前を付けて、みなさんに知っていただくようにしています。

例えば、2019年にmoumoon（ムームーン）さんの『Sunshine Girl』

（楽曲のリリースは2010年）という曲に合わせてダンスをする動画が流行り始めたことがありました。それがちょうど5月だったこと、五月病を吹き飛ばすような心地よい感じの曲であったことから、「#さよなら五月病」というハッシュタグを命名して投稿を促したところ、『Sunshine Girl』の再生回数は10日間で2000万回に達しました。21年初めには、『Avocados from Mexico』というフレーズ音源を使った投稿が続いていたので、シンプルに「#アボカドチャレンジ」と命名して周知したところ、「#アボカドチャレンジ」の投稿動画は、今では総再生回数が6億回に迫るほどの大きなトレンドとなりました。

UGCの根底にあるのは、私たちがどれだけ仕掛けるかではなく、ユーザーさんが共感し、「楽しい」「やってみたい」と思って盛り上がるかということ。どのトレンドの芽が大きくなるかは誰にも分からないですが、まずそんなトレンドが起き始めていることをいち早く周知し、ユーザーさんに認知してもらうことが重要だと考えています。

ステイホームでレシピ動画が大人気に

コンテンツ・ストラテジー・チームでは、1日に10個ほどのペースでハッシュタグを

発信しており、そのために日々膨大な動画をチェックしている。まさにTikTokでの最新トレンドを知り尽くす彼らが、21年現在、注目する動画のジャンルは一体どんなものなのだろうか。

TikTokはエンタメ要素が強く、楽しい気持ちになる動画が多いですし、それがTikTokの特徴的な部分でもあるのですが、ここ数年でコンテンツは多様化しています。例えば、教育コンテンツ。このジャンルは18年の年末あたりから盛り上がり始めたのですが、当初は英語などの語学系やフィットネスなどが中心でした。ですが、今は法律から、資産形成、物理学、さらに助産師さんによる性教育まで、様々な動画が増えています。

また、決してアカデミックなものだけではなく、豆知識なども含めてちょっとしたタメになる「有用性コンテンツ」の人気も高まっています。有用性コンテンツで今一番注目しているのは、レシピですね。これまでも人気のジャンルではありましたが、20年から21年にかけてTikTok発のトレンドレシピが生まれるようになりました。名前を挙げると「ペッパーランチ」「ナチョス・テーブル」「肉巻きおにぎり」「ヨーグルトチーズケーキ」「ライスペーパートッポギ」などですね。21年夏には「オレオアイス」や「ハニーゼリー」も人気を集めました。

今では、毎週のように新しいレシピが生まれていますが、背景にあるのはコロナ禍でのおうち時間の増加ですね。外食よりおうちで作る機会が増えたことで人気となったのですが、普段のおうちご飯というよりは、ちょっとテンションが上がるような、作って楽しいレシピが増えてきました。

次の行動を決める際に、まずTikTokを見るように

ちなみに、アレンジレシピ動画では、ワン・ダイレクションの曲が使われることが多かったんです。TikTokのユーザーさんは、ワン・ダイレクションの曲がかかった瞬間にレシピ動画だと分かるくらい（笑）。定番の動画フォーマットができると、新たに動画を作ろうと考えるユーザーさんもマネがしやすいですし、中毒性も出ます。このような点は、TikTokがバイラルしやすいポイントの1つかなと思います。

21年7月から、TikTokでは投稿できる動画の長さが最大3分までに拡大しました。それまでのレシピ動画は、さくさくと作り方を見せるパターンが多かったのですが、今後は3分クッキングのように、TikTokを見ながら台所でそのまま作れる動画も

出るかもしれないと期待しています。

楽しさを求めるユーザーが多いTikTokだが、日々の生活に役立つ有用性コンテンツが充実していくことで、これまでとは異なる活用がされていくと石谷氏は予想する。

生活に寄り添う情報として、レビューコンテンツはさらに広がると思います。例えば、ファッション系では、音楽の転換点に合わせてテンポよくコーディネートが変わっていくといったエンタメ要素の強い動画が以前は多かったのですが、最近は新作紹介や着こなすための、おすすめコーディネートを紹介する内容が増えています。

今は書籍や映画、コスメといった商品や作品のレビューが多いですが、今後はさらに幅が広がると考えています。コロナ禍で外食が制限されるなかでも、飲食店の紹介動画は人気でした。以前なら、焼肉をひっくり返す場面など、動画映えする映像がメインでしたが、20年に撮影後に音声を載せられるアフレコ機能をローンチしたのをきっかけに、外観や店内の雰囲気、そして味までを詳細に声で説明する動画がたくさん投稿されるようになりました。今後、気軽に旅行に行けるようになれば、旅行先のおすすめスポットや地方の穴場、ホテルや旅館の紹介動画なども広がるのではと思います。

こうして様々なジャンルの有用性コンテンツが蓄積されていくと、次は「どこに旅行に行こう」「何を買おう」と考えるときに、まずＴｉｋＴｏｋで好きなもの・興味があるものを探すという方が増えてくるはず。そんなふうに、動画を見てハッピーな気持ちになるだけでなく、実生活でも使えるアプリになるための部分を強化していきたいと考えています。

「#悩み相談」など、コミュニティとしての機能も

今後は、ＴｉｋＴｏｋを通じて人と人がつながり、「コミュニティ」としての役割を担うことも目指していくという。

専門的な知識を持つ方による「アドバイス」型の動画も、注目しているジャンルです。例えば、専門家に聞きたいことをユーザーが投稿し、専門家が動画やＴｉｋＴｏｋ ＬＩＶＥを活用して質問に答えていく。ＴｉｋＴｏｋを通じて「つながる」機会も増やしていきたいなと。

21年の夏には、ＮＰＯ法人と連携して、「#悩み相談」という取り組みを実施しました。

これは、ＴｉｋＴｏｋアプリ内専用ページから寄せられた悩みに対して、専門的な方々がアドバイスをするというものです。悩み事があったり、ネガティブな気持ちになったときに、ＴｉｋＴｏｋを頼りにしてくださるユーザーさんはたくさんいます。決してポジティブなものだけでなく、暗い気持ちのときにもＴｉｋＴｏｋが寄り添えるアプリになりたいという思いもあります。

すべての投稿がバズを生む必要はないんですよね。例えば、先の性教育動画を上げている助産師さんはただバズるためでなく、必要な人に情報を届け、それを受け取ったユーザーさんからどのような反応があるかを知りたいという思いを持っていらっしゃる。ある種コミュニティのように、ＴｉｋＴｏｋの中にあらゆるジャンルのあらゆる方にとっての居場所があるのが多様性だと考えています。そのためにも、いろいろな形でのＴｉｋＴｏｋの活用を提案していきたいです。

TikTok

PART 2

ケーススタディ “TikTok売れ”の現場

先行企業がヒットを生んだ施策とは？

CASE STUDY
BUSINESS
01

独自の広告プランで成果①

コスメ
メイベリン ニューヨーク

TikTok活用のフルファネル施策が成功 過去最高の月間売り上げを記録

メイベリン ニューヨークは2021年6月に、リキッドファンデーション「フィットミー」にて、3段階にわたる広告戦略をTikTokで実施。大きな成果を上げることに成功した。まずキャンペーン開始のタイミングで、グローバルアンバサダーを起用した起動型広告「TopView」を展開。次にTikTokクリエイターを起用した投稿を「インフィード広告」でも使用することで話題化と同時に理解促進を生み出した。最後に再び「TopView」で同素材の動画を配信、その結果、月間での売り上げが過去最高を記録するなど、TikTok広告だけで認知拡大から購買にまでつなげる新たな成功の方程式を生み出している。

素肌のようなサラサラ感を演出できると話題のリキッドファンデーション「フィットミー」。クレイ由来成分配合のため、崩れにくいのも特徴。国内では全17色を展開する。

幅広い世代から支持を集めるグローバルコスメブランドの「メイベリン ニューヨーク」。これまで長きに渡りスタイリッシュなテレビ広告を展開してきた同社は、近年ツイッターやインスタグラムといったSNSでの発信にも力を注いでいる。そして19年からは、いち早くTikTokでの広告展開をスタート。人気アイテムのリップ「SPステイ マットインク」では、ハッシュタグチャレンジの「#落ちないリップチャレンジ」を仕掛けるなど継続的にTikTokを活用してきた。

そんな同社が、21年6月にリキッドファンデーション「フィットミー」で新たにTikTokを活用した広告展開を行った。同ブランドを担当する、日本ロレアルのコンシューマープロダクツ事業本部デジタルトランスフォーメーション統括の高瀬絵理氏は、「『フィットミー』は20年にリノベーションした製品なので、どうやって再び売り上げを加速させるかが課題でした。そして、メイベリン ニューヨークとしては若年層のターゲティングの加速がもう1つの課題でした。ファンデーションの需要が伸びるのは、汗ばんで崩れが気になる夏場。コロナ禍でマスク着用が求められるなか、気にする人がさらに増えてはいるものの、リアルイベントの実施などは難しい。若年層へのリーチを最大化できる方法を検討したところ、TikTokに挑戦してみたいと考えました」と語る。

TikTokで実施した、今回のキャンペーンは以下のような流れだ。

①起動型広告「ＴｏｐＶｉｅｗ」に、グローバル・スポークス・モデルを務めるＫ-ＰＯＰガールズグループ・ＩＴＺＹの動画を流し、製品の認知を拡大。②人気ＴｉｋＴｏｋクリエイター2組を起用した動画を投稿し、第三者視点で製品の魅力をアピール。③店頭来店最大化のタイミングで、ＩＴＺＹの動画を再び「ＴｏｐＶｉｅｗ」で展開し、販売の伸長につなげる、というもの。このように複数の施策を密接に連携させ、認知から購買にまでに導いた「フルファネルマーケティング」は、ＴｉｋＴｏｋにとってもこれまであまり前例のない鮮やかな成功例になったという。

「ＴｏｐＶｉｅｗ」で大幅に認知を拡大

①で活用した「ＴｏｐＶｉｅｗ」とは、ユーザーがアプリを起動するたびにフルスクリーン/フルサウンドオンで広告が表示される仕組み。1日最大2社のみが契約可能となっている。まず、6月22日、ＩＴＺＹが出演する「フィットミー」の縦型動画広告を配信。製品のポイントである「素肌感」を伝えるため、メンバーの顔をアップで映していき、そこに彼女たちのダンスシーンも絡めた。この動画は、メインターゲットであるＺ世代から幅広い世代までオールリーチにて配信され、１５００万ビューを記録するな

ど、ＢＬＳ（ブランドリフト調査）でも大幅な認知拡大に貢献。その他、５万４０００いいね、７５０件のコメント、１４００件のシェアがあった。特に、シェアはツイッターの平均値よりも多かったという。さらに、すでに製品を購入していた人からおすすめのコメントが寄せられたことで、それを見た新規ユーザーが製品に興味を示し、いきなり購買につながる流れも生まれた。「ＴｉｋＴｏｋでは、見ず知らずの人たちの間でも、コメント欄で製品に関するポジティブな会話がすごく盛り上がっていて驚きました。これは他のプラットフォームではあまり見られない動きです。製品やブランドの認知向上はもちろんのこと、〝ユーザー同士のコミュニケーション〟を活性化できたことも非常に大きな成果だと思います」（高瀬氏、以下同）。

2021年3月から「メイベリン ニューヨーク」のグローバル・スポークス・モデルを務める、ITZY。音楽やメイクを通して自己表現を行う彼女たちと、「フィットミー」の世界観がリンクした動画を制作。

②では、人気ＴikＴｏｋクリエイターにＰＲ動画を作成してもらい、６月22日～７月２日におすすめフィードに高頻度で掲載される「インフィード広告」として配信した。ＴｉｋＴｏｋクリエイターに関しては、ＴｉｋＴｏｋ側にアドバイスを受けながら、「話題化担当」と「製品解説担当」という、それぞれ役割の

違う2組をセレクトし、スクリプトを設定したという。

カップルと男性TikTokクリエイターが製品のPRを担当

まず、「話題化担当」として選んだのが、中規模（130万人）のフォロワーを持つ「セロウンブログ」。彼女のウナと彼氏のりゅうのカップルで、仲睦まじくユーモラスなやり取りの動画が人気だ。「フィットミー」のPR動画では、デート前にメイクをする彼女のところに行くと、いつの間にか彼もメイクをすることになる…という、ストーリー性のある内容を広告でブーストし大いに話題化を生み、1200万再生を突破している。

なぜ彼らを選んだのか。「以前、話題性を重要視して、美容からはやや離れたYouTuberを起用したところ、バズったものの、購買にはつながりませんでした。一方、今回はウナさんが美容への関心の高いフォロワーが多いことから、スクリプトでも製品の魅力をしっかりと、かつ自然に反映していただきました。笑いの要素もありながら、軸に美容を感じられる方ということでTikTokさんにもお願いしました」。

続いて、「製品解説担当」として選んだのが、男性の美容系TikTokクリエイター「Kev.in（ケヴィン）」。軽快な語り口で、美容アイテムをロジカルに解説する動画

「セロウンブログ【ウナとりゅう】」（@saelounvlog）は、日常動画が話題となっている日韓カップル（右）。「Kevin（ケヴィン）（@konnichiwakevin）は美容アイテムの解説動画で注目の存在（左）。

で人気を集める。PR動画では、まず冒頭で「なにあの幸せな光景〜」とセロウンブログの動画に触れつつ、「フィットミー」の特徴や使用する際のアドバイスも入れたものに仕上げた。これがメイクへの関心が高い層に刺さり、広告配信にて1000万再生を記録した。

　男性の美容系TikTokクリエイターをキャスティングした狙いとして、「弊ブランドはダイバーシティーをブランド理念に掲げていること、コスメに詳しい男性に多くの女性ファンがついている時勢なども踏まえて決めました。また、『フィットミー』は国内で17色、海外では52色の色展開をしているので、女性だけでなく男性にも使っていただける色味をそろえていることも伝えたかったんです」。購入者の属性でも男性比率が上がり、メイクに関心のある男子の掘り起こしにもつながったという。

ブランドへの好意度も急激に上昇

そして③として、7月17日に再びITZYが出演する動画を用いた「TopView」を展開。基本的には1度目と同じ内容だが、「お店でITZYを見つけてね」というテキストを最後に付け加えることで、店頭に誘導することを意識した。実際、7月の売上げは、過去最高を記録。満足のいく結果を残すことができた。動画を見たユーザーからのコメントでは、6月の1回目と比べて「もう買ったよ」というものが目立ったという。そこから「崩れにくいですか?」などの質問と、それに対する利用者の回答というユーザー同士のやりとりが自然に発生し、最終的には「お店に行ってみます」などと購入につながる展開も見られたそうだ。

「今回の取り組みを振り返ると、まずはITZYさんが起爆剤となり、その後さらに、セロウンブログさんとKevinさんで話題を作ることができ、最後に再びITZYさんでダメ押しできたという流れでした。各フェーズでいかに跳ね上げさせるかが重要なんだと改めて感じましたね。これまでのマーケティング施策のなかでも、広告に対して最もポジティブな声が多く、結果として、ブランド好意度が展開前と比べて３〜４倍ほど上がったという数字も出ています」。前後での売り上げが１・３倍も上がり、ＴｉｋＴｏｋ単体でのフルファネル施策によって購買が大きくリフトした結果となった。

今後は、この成功体験を糧に、ＴｉｋＴｏｋはもちろんのこと、デジタル領域での新たな広告展開を行っていく考えだという。また、男性がモデルとして登場する流れも加速しそうで、既に同社の主力アイテムの１つ、マスカラの「ラッシュニスタ Ｎ」でも、同じスキームにて展開している。９月のＴｉｋＴｏｋの「ＴｏｐＶｉｅｗ」広告では、ブランドサポーターの錦戸亮を起用。「日本ではまだ、男性をコスメのＣＭに起用するケースは珍しいですが、中国ではそれが主流となってきています。グローバルブランドの強みとして、海外で先行している事例も積極的に取り込んでいきたいです」。

世界トレンドを視野に入れた取り組みで、メイベリン ニューヨークは美容への関心が高いユーザー間での旺盛な好奇心と購買意欲に、より応えられる存在となっていきそうだ。

2020年に「メイベリン ニューヨーク」のジャパン ブランドサポーターに就任した錦戸亮。

独自の広告プランで成果②

ヘルスケア
ライオン

「歯が白くなる」をエフェクトで疑似体験 美白ハミガキの宣伝効果を最大化

2021年に発売した美白ハミガキ「Lightee（ライティー）」のプロモーションで、TikTokを活用したライオン。商品の特性を踏まえて、歯が白くなるオリジナルの「ブランドエフェクト」を制作し、「ハッシュタグチャレンジ」で拡散、さらにはCM動画も配信するなど、複数の広告施策を組み合わせることで、その効果を最大限に引き出した。

同年9月には、オーラルケアブランド「NONIO」から発売されている舌ケア商品がユーザーの投稿をきっかけとして話題となり、売り上げが急増するなど、TikTokに大きな可能性を感じているという。

ライオンの美白ハミガキ「Lightee」。ミクロクレンジング処方により、歯の表面の微細なキズに残る着色汚れも除去する。

洗剤、石鹸、ハミガキから、化学品、医薬品まで手掛ける大手生活用品メーカーのライオンが、21年3月31日に新製品として発売したのが、美白ハミガキの「Ｌ・ｉｇｈｔｅｅ」。歯の表面に出来るミクロなキズの汚れを徹底除去することで、〝光を反射する〟明るく白い歯に導くという商品だ。イメージキャラクターには、「美容意識が高い女性」として高い支持を集める中村アンを起用、テレビＣＭやＷｅｂ広告を使って、「顔の印象は歯で変わる」というブランドメッセージを伝えていった。

オリジナルのブランドエフェクトを展開

そしてさらなる起爆剤として、発売から約2カ月がたった6月13日から新たにＴｉｋＴｏｋでの広告展開をスタート。その際に活用したのが「ブランドエフェクト」だった。「顔の印象は歯で変わる」ことをデジタル上にて疑似体験できるようにしたいというリクエストを受け、ＴｉｋＴｏｋ Ｆｏｒ Ｂｕｓｉｎｅｓｓチームが、顔の一部などを最新テクノロジーによって変化させる独自のエフェクトを制作。それをＴｉｋＴｏｋユーザーが自由に使って楽しんでもらえるというものだ。ライオンのビジネス開発センター・エクスペリエンスデザイン・ＣＸプランニングチーム・笠原清香氏は、「ＣＭでも伝えている『顔の印象は歯で変わる』というメッセージを実際に体験していただくことが大きな目的です。メッセージの内容を能動的に体験することで、〝歯の美白〟に関心のない方にも興味を持っていただける、そして、よりLighteeが記憶に残るのではないかと考えました」と話す。

出来上がったオリジナルのブランドエフェクトは、テレビCMの中村アンによる「顔の印象はね、変わるの。歯、で」というセリフを活用したBGMをきっかけに、ユーザーの歯が白く綺麗な状態に変わり、同時に肌のトーンもアップした姿に変身するというものだ。オンライン会議などを通して共同で進めていった制作過程は、ライオン側の相談に対して、その場ですぐに機能を実装するなど、スムーズそのものだったという。「約1カ月半で完成したので、TikTok For Businessチームの仕事ぶりの速さには驚くばかりでした。私たちの希望を正確に形にしていただけるだけでなく、口元に注目を集めるためにキラっと光るエフェクトを入れるなど、細部にまでこだわった提案をしてくださいました」（笠原氏、以下同）。

他にも、エフェクトが発動するトリガーとなる仕草に悩んでいた際には、ユーザーの動画の作りやすさを踏まえた上で、時間経過によって発動させる案をTikTok For Businessチームが推奨し、採用したという。エフェクト内で流れるBGMについても、「ユーザーが乗れるようなものにしたかったので、『ダークじゃない明るい感じでお願いします』と伝えたところ、まさにイメージ通りのものに仕上げてくれました」と振り返る。

「#チャレンジ」では人気モデルを活用

6月13日にオリジナルのブランドエフェクトを解禁したのと同時に、「ハッシュタグチャレンジ」広告もスタート。ユーザーが制作した動画に「#顔の印象は歯で変わる」を付けて上げてもらうことによって拡散を促し、投稿のムーブメントを生み出すことに成功した。さらに、TikTok上で活躍する20代のクリエイターにもPRとして、オリジナルブランドエフェクトを使った動画を上げてもらうことで、より広いユーザーにまで波及していった。

「#顔の印象は歯で変わる」のハッシュタグ

中村アンが出演するテレビCM「ルーペの女」篇を編集し、TikTok内で配信する試みも。

複数のTikTokクリエイターに、オリジナルのブランドエフェクトを使った動画を投稿してもらう施策を実施。左から、なちょす（@nachos_kimono）、金子みゆ（@kaneko_miyu）、ノノカ（@nonopink0416）。

を添えて投稿された動画は2万６０００本以上、エフェクトを体験したユーザーは17万人以上を突破し、総再生回数は2億４０００万回を超えるほどの反響を集めている。「ショート動画で簡単に試せることもあり、様々な方にエフェクトを使ってもらえて良かったというのが正直な感想です。驚いたのは、動画を上げてくださった方の年齢層の幅広さですね。ＴｉｋＴｏｋは若い女性が多いのかなと思っていたのですが、上の年代の方たちも数多く参加してくださいました」。

Ｌｉｇｈｔｅｅのメインターゲット層は20代ではあるものの、「歯を白くしたい」という気持ちは年を重ねても大きい。高い年齢層のニーズについてはライオン側も把握していたそうだ。しかし、中高年層による動画の投稿数はその想定を大きく超え、この年代のニーズの高さを再認識するきっかけになったという。

さらに、ＣＭ動画をＴｉｋＴｏｋ内でも配信することで、より広告効果を高める取り組みも行った。「同時期にテレビＣＭの映像をＴｉｋＴｏｋ用に編集して流すことで重複接触を増やし、購買につながればと考えました」。

費用対効果が高いTikTokでの施策

こうしたＴｉｋＴｏｋでの施策を行った結果、売り上げにはどう反映されたのだろうか。テレビＣＭなども展開している関係で、ＴｉｋＴｏｋだけが要因とは断言できないそうだが、6月のＬｉｇｈｔｅｅの売り上げは目に見える形で上がり、カテゴリー内トップシェアを取る日もあったそうだ。

笠原氏は「コロナ禍になる前は、商品を実際に体験してもらうイベントなどを開催していましたが、ご参加いただけるお客様が限られるため、費用対効果は決して高いとは言えませんでした。一方、デジタル上で顔の印象が変わる疑似体験をしていただくという今回の取り組みは、ＴｉｋＴｏｋ Ｆｏｒ Ｂｕｓｉｎｅｓｓチームが高度なエフェクトを短期間で開発する技術力を持っており、コストや制作日数などの点で優れていたと感じています。さらに、こうしたエフェクトを試してみたいというユーザーが集まる場でもあることから、反響や手応えも非常に大きかったです。今後もＴｉｋＴｏｋでの広告展開を積極的に活用していきたいと思っています」と高く評価している。

一本のユーザー動画がきっかけで売り上げが急上昇

ライオンの商品では、「ＮＯＮＩＯ」の舌クリーナーと舌専用クリーニングジェルが、21年9月にあるユーザーの投稿をきっかけに突然大きな注目を集めたこともあった。投稿者は松の森という、自称〝商品紹介素人ＴｉｋＴｏｋクリエイター〟。動画ではＮＯＮＩＯを映した上で、「ノニオの舌ブラシは本当に神」といったテキストも入れて解説を行っていた。

ライオンのＣＸプランニングチーム・西岡勢奈氏は、「動画で端的に魅力を伝えてくれているのが非常に大きかったと思います。また、舌磨きというあまり知られていないニッチな商品ということもあり、初めてその存在を知って興味を持ってもらえた方も多かったのかなと。コメント欄も盛り上がっており、『どこで売っているんですか？』というユーザーの方の質問に対し、他のユーザーさんが『ドラッグストアやＡｍａｚｏｎで買えますよ』と返すなど、活発なコミュニケーションが繰り広げられていたのもポイントですね。現在ではコメント数が1800を超えています」と語る。

その結果、売り上げにも大きく貢献。投稿があった日のオンラインショップでの販売個数が2ケタ増と大きく伸長したという。こうしたTikTokのバズから生まれたヒットを受けて、西岡氏は「次に何かの動画がバズったときは、ブランドからも迅速に『ここで購入できます』とアナウンスができるように取り組むなど準備していきたい」と意気込む。

独自の広告プランで成果③

コスメ
NARS

アイメイクをエフェクトで体験 〝購入意向〟の向上などに効果

資生堂傘下でニューヨーク発のプレステージメーキャップブランドである「NARS」は2021年6月、主力商品の新商品のプロモーション展開に合わせてTikTok上でオリジナルの「ブランドエフェクト」を展開した。目のまばたきに合わせて動画の中の人物の目元の色が変わっていく、という仕掛けで15万人がアイシャドーを疑似体験。商品の「購入意向」が48%アップするなど、大きな成果を得たという。

プレステージメーキャップブランド「NARS」を展開する資生堂傘下のNARS cosmeticsは、同社の主力商品のアイシャドーパレット「クワッドアイシャドー」

NARSから発売中の、4色セットのアイシャドーパレットコレクション「クワッドアイシャドー」。濃厚な発色、ベルベットを思わせるような滑らかなつけ心地が評判となっている。

のプロモーション施策として、TikTok上でオリジナルブランドエフェクト「NARS Quad Eyeshadow」を21年6月から公開した。

TikTokのエフェクトとは、アプリ上にアップしたユーザーの動画をカスタマイズする方法の1つ。例えば、映像の中の人間の目を大きくしたり髪の色を変えたりと、様々な特殊効果を演出できる。NARSで展開した「NARS Quad Eyeshadow」は、TikTokと共同開発したエフェクトで、人物が登場している動画に使うと、目元が実際の商品と同じアイシャドーを塗ったように再現される。また、動画中の目のまばたきや音楽に合わせて、商品にある4種類の色へ次々と変わっていく仕掛けもある。楽しみながら、本格的なアイメイクを疑似体験できるのがこのエフェクトの特徴だ。

デジタルネイティブ世代への訴求を狙う

「コロナ禍で目元メイクの需要が高まるなか、より新しい層に幅広く訴求したいと考えたところ、デジタルのネイティブ世代が積極的に使っている印象があったTikTokでトライアルをしたいと考えました」とNARSのマーケティングマネージャーで、デジタル関連のプロモーションを担当する中西悠氏は話す。デジタルプロモーションとし

「クワッドアイシャドー」のオリジナルブランドエフェクトは、アイメイクが疑似体験できるというもの。目のまばたきや音楽に合わせて、アイシャドーが4種類の色に次々と変わっていく。写真はメイクアップアーティストの南部桃伽（@momoka_nanbu）。

てはそれまで、新商品の発売時などに、別の動画サービスを利用して、ＣＭキャラクターを起用したライブ配信などを行っていた。ＴｉｋＴｏｋの活用にはこうした施策をより１歩深めたいという思いがあったという。

「単純に興味喚起だけではなく、商品を認知してもらうところから、購入の１歩手前までを１つのプロモーションで導けないかと検討していたところ、ＴｉｋＴｏｋがそうした目的には合っているのではないかと考えました」（中西氏、以下同）。加えて、今回の施策ではユーザーによりリアルに近いアイメイクの疑似体験をしてもらうため、商品の色味や質感を忠実に再現したいと考えていた。こうした目的にもＴｉｋＴｏｋが最適だと考えたという。

ただし、実現までにはいくつかのハードル

があった。最も重要だったのが、TikTok上で展開するに当たり、いかにプレステージメーキャップブランドのイメージを維持するかだった。「NARS」はいわゆる百貨店コスメブランドに位置付けられ、中~高価格帯の商品をラインアップしている。メーキャップアーティストであり写真家でもあるフランソワ・ナーズが、1994年にニューヨークで立ち上げたブランドで、いわゆるモード系のファッションに敏感な層が主に好んで使う商品だ。資本関係でいえば資生堂傘下ではあるものの、CMや広告などのクリエイティブは、米国の本部で厳しくレギュレーションされている。TikTokにおいても例外ではなく、展開するに当たっては、本国の承認が不可欠だった。

プレステージメーキャップブランドにかなったエフェクト

これをクリアすべく中西氏らは、エフェクトの開発を手掛けたTikTokと入念に打ち合わせを重ね、アイシャドーの発色や質感の忠実な再現に力を入れた。アイシャドーは塗り方などで、個人ごとに色味の差が出てくる。こうした点もアプリ上で再現すべく、メイクのプロであるブランドのメーキャップアーティストも巻き込みながら開発を進めた。またTikTokはポップでかわいいというイメージを持たれがちだが、NARSが

前出の南部桃伽（右）ら、6人のクリエイターにオリジナルブランドエフェクトの動画投稿を依頼。また、ハーフモデルのJaimie（@jaimie__official・中）、ママモデルの草柳ゆうき（@kusayuutiktok・左）など、多くのUGC投稿も見られた。

持つモード寄りでアーティスティックという世界観と整合するように、エフェクト全体の挙動や配色、ＢＧＭの制作にも気を配ったという。

　目のまばたきや音楽に合わせて、アイシャドーの色味が変化していくギミックを採用したのにも理由がある。エフェクトを使うことで、ＴｉｋＴｏｋらしいユーザー体験に合わせて、商品自体にも着目してもらいたいという狙いがあった。目元の色がどんどん変わると、ユーザーがアプリを操作しているときに、自然と商品にも目が行くだろうと考えたのだ。

　本国でもＴｉｋＴｏｋをＰＲに利用したことはあったが、ブランドエフェクトの活用は今回の日本での取り組みが初めてだった。こうしたＮＡＲＳ側とＴｉｋＴｏｋとの二人三脚の努力が実り、無事に本国のチェックもクリア。ブランドのトーンやクオリティーを維持しつつ、TikTokユーザーが使いたくなるようなエフェクトの展開にこぎつけた。

反響は上々だった。「エフェクトを使った投稿は、ターゲットとしている世代以外にも多く見られ、我々が想定していなかったユーザー層にもアプローチできたと感じています」。施策の実施に当たっては、プロモーション効果をより高めるためにTikTokで人気のインフルエンサーを6人起用した。そのうち3人は、従来のNARSのイメージに近い女性を起用したが、他の3人はあえて幅広く人選したという。TikTokを通じて新しい顧客層を開拓したい、という狙いがあったからだ。

メーキャップブランドに必要な新規客を

化粧品の場合、化粧水や乳液など日常使いする、いわゆるスキンケアブランドであれば、いかにリピートしてもらうかが重要になる。一方、アイシャドーや口紅などのメーキャップブランドの場合、リピートだけでなく、新しいターゲット層に訴えて新規ユーザーを取り込むことも大切になる。TikTokを利用した施策は功を奏し、従来のブランドのファンに加えて、ブランドイメージにとらわれず、アイシャドーのかわいい質感やきらきらしたラメ感など、商品そのものを入口にして反応するユーザーも多く見られたという。

「この施策を通じて強く感じたのは、TikTokさん上のコミュニケーションが、他のプラットフォームと比較して、かなり新しくて特殊ということです。エンゲージが強いためか、インフルエンサーや一般ユーザーの投稿に対して、熱量の高いコメントがものすごく多く付きました。コメントがコメントを呼ぶ形で、コミュニケーションが広がっていくのを感じました」と中西氏は振り返る。

要因として考えられるのは、フォローとフォロワーのなかで閉じていないのがTikTokの〝文化〟、という点だ。他の主なプラットフォームでは、フォロー先の投稿だけがユーザーの手元に届くケースが多い。TikTokの場合は、ユーザーが最も利用する「おすすめ」フィードにフォロー外のユーザーの投稿もリコメンドとして次々に表示される。フォローまではしていないが、その投稿には興味があるというユーザーが次々と集まるため、その開放的な雰囲気がコメントしやすい状況を作っている面もあるだろう。

「態度変容」が50%、「購入意向」が48%アップ

では効果はどうだったか。今回の施策では、ユーザー体験を創出するために数多くの

投稿を促すというのが目的だった。そのため、この施策がどれだけ売り上げにつながったかまでは精査していないという。ただ、「クワッドアイシャドーに関しては同時期にTikTok以外のプロモーション施策は行っていませんが、商品は計画に対してものすごく好調に推移しました」と中西氏は話す。

はっきりと数字で表れた効果もある。施策後にTikTokから提供されたユーザーデータによると、より商品の購入に近づく意識変化があったユーザーを示す「態度変容」が50％アップ、商品購入の1歩手前と言える「購入意向」が48％アップとなった。さらに今回のエフェクトを体験したユーザーは、ユニークで約15万人に上るという。

NARSでは今回の施策の2カ月前に、TopViewに広告表示するメニューを使ったシンプルなプロモーション展開もしていた。その時は広告キャラクターに著名人を登場させたビジュアルを使用したこともあり、TikTok内だけでなく、ほかのSNSでも「TikTokで彼の広告が流れている」と話題になったという。この取り組みが認知の向上に大きく寄与したことで、より1歩踏み込んだユーザー体験を促す今回の施策に取り組んだ。「メニューごとに効果に違いがあり、施策ごとに新しい発見もありました。今後はそれぞれを使い分けることに意味があると感じています」と中西氏は言う。

CASE STUDY
BUSINESS
04

独自の広告プランで成果④

空調機器
ダイキン工業

ダンス動画でブランドをPR “未来の購入者”の認知度を向上

2021年5月から6月にかけて、TikTokで広告キャンペーンを展開した空調大手のダイキン工業。「ぜんぶ、湿度のせい。」というテーマの下、湿度にまつわる困ったことをダンス動画にして投稿してもらう企画だ。若年層が自らエアコンを購入する機会は少ないが、将来商品を選ぶときに向けて、ブランドの認知を高めることが最大の目的だった。Z世代に人気のクリエイターを起用したこともあり、広告動画の視聴完了率はTikTok平均の約3倍を記録。ブランドへの好感度などもアップする結果を得た。

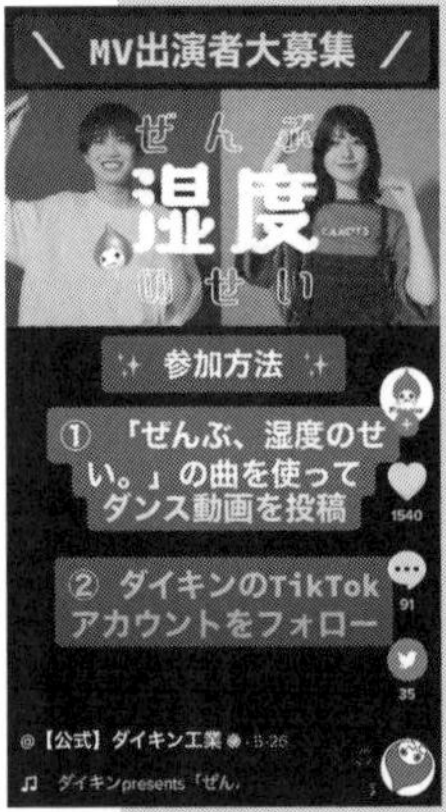

ダイキン工業が2021年夏に展開したTikTokのキャンペーン画面。Z世代に人気のクリエイター「ゆな」と「せりしゅん」を起用した。

ダイキン工業はTikTokの公式アカウントの新設に併せ、21年5月27日～6月3

日にダンス動画を配信するキャンペーンを実施した。広告動画の視聴完了率がＴｉｋＴｏｋ平均の約3倍を記録し、目標としていたＫＰＩ（重要業績評価指標）をすべて達成するなど、苦手としてきた若年層へのブランディングに顕著な成果があった。

ダイキン工業にとってＴｉｋＴｏｋのプロモーションには19年から取り組んでいた。どれも活用次第で顧客とのつながりを創出できるＳＮＳプラットフォームだ。ではなぜ、同社はＴｉｋＴｏｋに入れ込み始めたのか。そこには、若年層にうまくリーチできない、空調専業メーカーならではの〝弱み〟があった。

エアコンは高価な製品にもかかわらず、ある日突然、必要に迫られ即決で買わざるを得ない。特に熱中症の危険を伴う真夏に壊れてしまった場合、一刻も早く手配したいだろう。また、普段から製品をチェックしていれば「このメーカーのこの機種」と見当を付けられるが、ほとんどの人はエアコンの最新動向など把握していない。何となく知っているメーカーの中から、予算や納期が合う機種を選んでしまうこともあり得る。さらに、販売のピークには工事が立て込んですぐに設置できない「エアコン渋滞」も発生するくらいだから、納期最優先、メーカーに構っていられないケースもあるに違いない。

ダイキン工業はこうした点に課題を感じていた。競合の大手家電メーカーは空調以外の幅広い製品を扱っているため、既に顧客と複数の接点を持っている。製品に自信はあっても、タッチポイントの少なさは空調専業メーカーにとって〝泣きどころ〟でもあった。

そこでダイキン工業は、認知拡大を目指して快適な空間づくりに重要な「湿度コントロール」が自社の強みであることをテレビCMで訴えてきた。ところが、それではテレビを見ない、テレビを持ってもいない若年層にリーチするのは困難だ。しかも若者は自分でエアコンを買う機会がほとんどないため、エアコン自体に興味関心がない。

こうした状況を放置しておけば、現在の若者たちが40代以上の購買層になったとき、ダイキン工業が選択肢に挙がらない可能性がある。18～25歳の購買予備軍に「湿度コントロールといえばダイキン工業」であると認知してもらうため、前述のように同社は19年からコンテンツ制作会社のワンメディアと共に、ツイッターやインスタグラムを使った若年層向けの施策を行ってきたが、何とかもう一押ししたい。それが初のＴｉｋＴｏｋ活用につながった。

能動的な関わりを持てるＴｉｋＴｏｋを選択

若年層に人気のプラットフォームといえば、ツイッター、インスタグラム、そして

ＴｉｋＴｏｋだ。ダイキン工業は19年から夏と冬の年２回、ツイッターを中心とした施策を実施。若者に人気のクリエイターを起用し、視聴者と一緒に湿度について学ぶコンテンツを配信していた。そして21年5月、ＴｉｋＴｏｋを活用した施策にチャレンジした。その理由について、ダイキン工業総務部広告宣伝グループの天野貴史氏はこう説明する。

「湿度に関心がない若者に興味を持ってもらうため、実は美容や体調不良にも湿度が関係するという課題を設定し、それにふさわしいクリエイターを起用してツイッターをメインに計４回のキャンペーンを行いました。成果も出ましたが、切り口や起用するクリエイターに関してやり尽くした感じもあって。さらなるチャレンジを考えていたときに、ワンメディアさんからＴｉｋＴｏｋ活用の提案を受けました。ツイッターのようにフィードに流れてくるものを面白がるのではなく、ＴｉｋＴｏｋはコンテンツを面白いと感じた人が自ら動画を投稿する。新たな展開になるのではと考えたんです」

一方、キャンペーン施策を手掛けたワンメディアのプロデューサー近藤望美氏は、ＴｉｋＴｏｋ提案の理由として「若年層～30代のユーザーが多く、米国でＹｏｕＴｕｂｅの視聴時間を抜くほど人気があること」を挙げた。現在の勢いを考えると、ＴｉｋＴｏｋは外せないと考えていた近藤氏。ダイキン工業にとってＴｉｋＴｏｋは初めてだったため、今回は「ＹｏｕＴｕｂｅも絡めて、より多くの若者を巻き込めるようにしました。私たちは〝スマートコンテンツ〟と呼んでいますが、能動的にプラットフォームを横断させることで、一方的なコミュニケーションに終わらせないことができる。TikTokからYouTubeへ、YouTubeからTikTokへの動線も用意しました」と話す。

「ぜんぶ、湿度のせい。」キャンペーンの設計

今回のTikTok施策は、「ぜんぶ、湿度のせい。」と題したテーマの下、梅雨が楽しくなるミュージックビデオを作成するものだ。湿度にまつわる困ったことをダンス動画にしてTikTokに投稿してもらい、採用となった動画を主に曲のサビ部分に入れ込む。その動画が、Z世代に人気のクリエイター「ゆな」「せりしゅん」の2人が踊っている動画の周囲にちりばめられる。

ダンスの振り付けはTikTokで人気の振付師「えりなっち」が担当。オリジナルの楽曲もTikTokでウケる要素を研究し、制作会社に依頼した。完成したミュージックビデオはYouTubeで公開する。今回YouTubeを選択したのは、3分以上の尺になるミュージックビデオを落ち着いて見られるプラットフォームだからだ。

「ミュージックビデオでクリエイターと共演できる」からと、TikTokへの投稿を

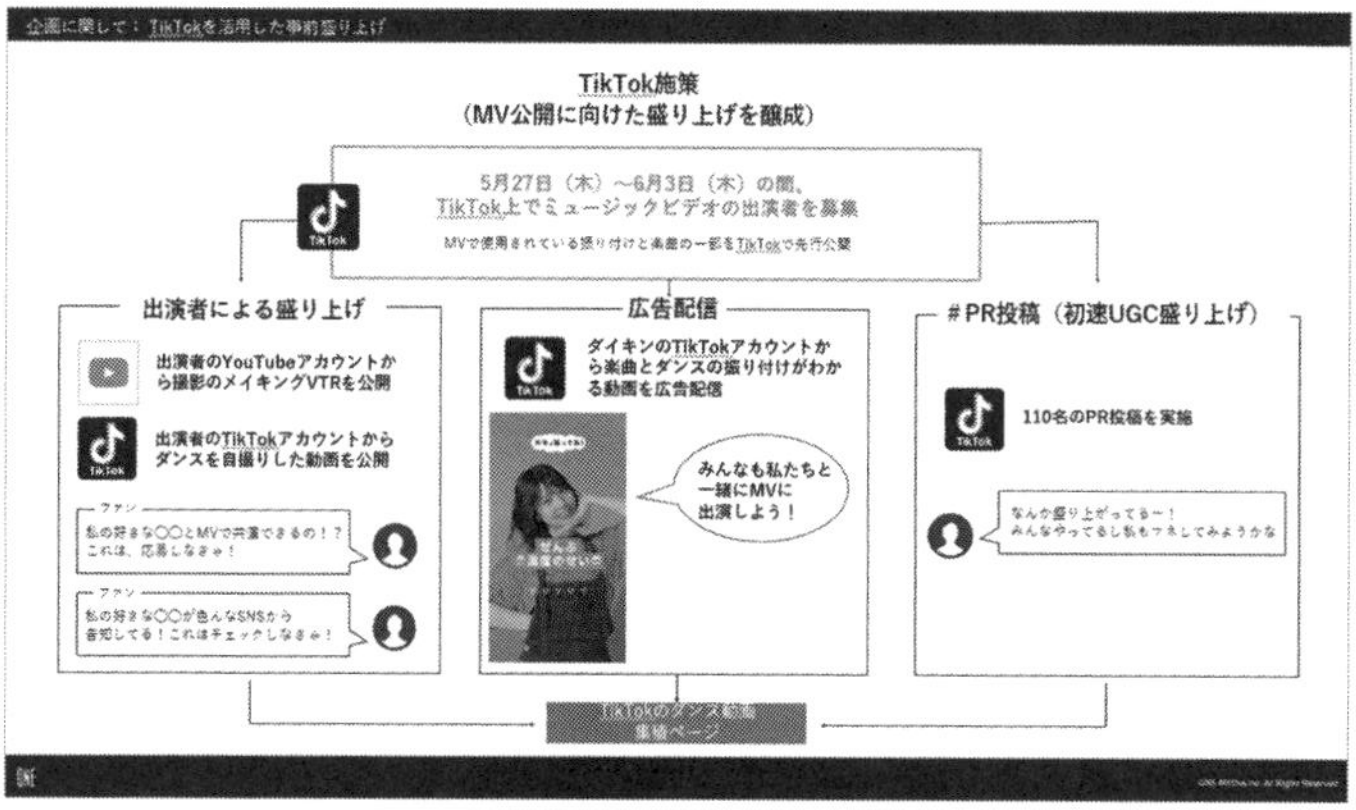

ダイキン工業のTikTokアカウント（@daikin_jp）から、楽曲とダンスの振り付けが分かる動画を配信。同じ曲を使ったダンス動画の投稿により、ミュージックビデオ上で共演を呼び掛けた。

促すだけでは若者は集まらない。そこでミュージックビデオの公開日に向けて、ダイキンのＴｉｋＴｏｋアカウントで楽曲とダンスの振り付けを教えるインフィード広告を配信した。また、一般人とマイクロインフルエンサー１１０人によるＰＲ投稿を配信することで、視聴者に「何か盛り上がっていそうだ」と思わせ、投稿に対する心理的ハードルを下げた。さらにクリエイターが自身のアカウントを使って、ＴｉｋＴｏｋとＹｏｕＴｕｂｅで告知を行うという念の入れようだ。

ミュージックビデオの公開は、ダイキン工業のＹｏｕＴｕｂｅアカウントで行った。公開当日はＹｏｕＴｕｂｅでの広告配信、そしてフルバージョンへの動線としてＴｉｋＴｏｋとＡＢＥＭＡでも広告を配信した。ＡＢＥＭＡ

で広告を出した理由は、ターゲット層が同じであり、完全再生率も高いためだ。クリエイターにより、ＴｉｋＴｏｋとインスタグラムのストーリーズへも投稿された。まさに重層的にＳＮＳと動画コンテンツを活用した施策と言えよう。

「驚異的な数字」、視聴完了率が約12％

このキャンペーンでは、ＴｉｋＴｏｋの広告動画の視聴完了率が約12％に達した。「ＴｉｋＴｏｋ Ｆｏｒ Ｂｕｓｉｎｅｓｓチームから視聴完了率の平均値が３％前後と聞いていたので、これは驚異的な数字。広告でありながら自撮りで遊べる要素があり、視聴者が自分向けなのだと感じることができたために成功した」と近藤氏は分析する。天野氏も「ＵＧＣのＫＰＩは３００件としていたので、その倍近くの５６０件以上も獲得できたのは驚きでした」と評価する。

ＹｏｕＴｕｂｅで公開したミュージックビデオは、２週間の配信期間で再生回数が約１３０万回、再生完了率が約10％となった。ブランドリフトに関しては、広告想起がプラス６・７％、好意度がプラス０・６％という結果だった。若年層およびＴｉｋＴｏｋとの親和性が高いクリエイティブを提供できたことなどが、成功の要因として考えられる。

ＴｉｋＴｏｋは今回が初めてだが、ダイキン工業はこれまでもクリエイターを起用したキャンペーンを行ってきた。天野氏は若年層マーケティングにクリエイターは欠かせないと明言する。「誰が何を語るかが重要なので、クリエイターの選定は大切。文脈に沿っていないと、クリエイターがただ言わされている感じになり、すべってしまう」（天野氏）

近藤氏は若年層の「推し」文化の影響も大きいと見る。「若い人たちは、自分たちの推しが世に露出していくことを企業に求めています。それなら若い人が応援しているクリエイターを起用するのが近道。自分たちが好きな人たちが湿度について考えているという文脈を伝えるには、クリエイター本人たちが自分の言葉で話すこと。それがストレートな影響力を生む」（近藤氏）。

ダイキン工業は手応えを感じたＴｉｋＴｏｋの活用を軸として、ワンメディアと共に今後のキャンペーンについてもプランニングを進めている。「ただ面白い動画を作るのではなく、どのクリエイターを起用し、ターゲットを意識した文脈をしっかり設計するかということが成功の要諦だと思います。ただし、動画だけですべてが解決するとは思っていません。同時期にテレビＣＭや商品の販促も行っています。動画をきっかけに、ダイキン工業やダイキンの商品にも興味を持ってもらいたいですね」（天野氏）。

（日経×TREND 2021年9月16日公開記事を再構成）

INTERVIEW

「自然発生」から「戦略的ヒット」へ広告の成功法則が今、見えてきた

TikTok For Business Japan Head of Key Accounts and Agency, Global Business Solutions
田村千秋

2020年頃から、TikTokでは自然発生的なヒットが生まれるようになった。だが昨今では、自ら積極的に活用しヒットを生み出すことに成功する企業やブランドも増えている。大手ブランド広告主を担当する営業組織「TikTok For Business Japan, Global Business Solutions, Branding Key Accounts & Agencies」にて、日々企業とともにプランニングに取り組む田村千秋氏は、「徐々に、成功の法則が出来つつある」と語る。

私はツイッター社に5年少しいたのですが、17年にTikTokを初めてダウンロー

ドして使った時に衝撃を受け、18年8月、TikTokの広告ビジネス立ち上げメンバーとしてジョインしました。当初のクライアントは、若年層をターゲットとしている商材、例えばコスメですとか、ジュースや菓子類、そしてゲームや漫画、余暇を楽しむような商材などエンタメ系企業が中心でした。20年頃から、定常的に出稿されるラグジュアリー系ブランドが出てきました。

劇的に変わったのは、21年に入ってからです。1つの指標として企業がTikTokで公式アカウントを持ちたいというリクエストが激増したのは、21年の2〜3月くらいからですね。企業アカウントの開設は長期でお付き合いさせていただけるという意思の表れだと思いますので、我々としても「お、きた」という感じでした。また、出稿されるクライアントもその頃から金融、不動産、人材、さらに消費財も家でご飯を作るための商材やアルコール飲料など、想定以上に広がっています。

要因としては、TikTokユーザーが増加し、年齢層の幅も広がったことをマーケターのみなさんが実感されるようになったこと。また、TikTokからヒットが生まれるという認識が広がったことかなと思います。19年くらいからTikTok発のヒット曲が生まれ始め、20年には瑛人さんやYOASOBIさんが『紅白歌合戦』に出場するまでの反響になりました。さらに、同時期にはスターツ出版さんの『あの花が咲く丘で、君とまた出会えたら。』などの書籍がTikTokから売れ始め、ステイホームのなかで「地球グミ」「ファイブミニ」などの商品もヒットしました。そんな「TikTokで話題になると物が売れる」という空気が顕在化したのが、21年初めくらいだと認識しています。その頃から、クライアントさんからも「TikTokで流行っているんだよね、売れているよね」と問い合わせが来るようになり、一気に流れが変わりましたね。

日々変わるトレンドを広告に取り込むために

TikTokでの動画広告の事例を見ると、「ダンス」などのトレンドを取り入れたものやクリエイターを起用したものなども多い。一方で、人気を集める動画のトレンドが日々変わるのもTikTokの大きな特徴だ。企画から実際の配信までに時間のかかる広告案件において、最新のトレンドを取り込むことは至難の業とも感じる。

我々も事業を始めて2〜3年たっていますので、動画のトレンドも1つの事象としてではなくもっと俯瞰できるようになってきています。「今、こういう動画の撮り方がはやっている」ではなく、「こういうコンテキスト（文脈）のなかで、こういう動画が流行っている」というように「コンテキスト」の部分をクライアントや広告会社と共有していくことに注力していますね。例えば「ペッパーランチ」が流行っていることをお伝えする場合なら、「緊急事態宣言下で、人々が家で過ごす時間が増え、友人を家に招いて食事をする際にネタになるようなものを探している」といった、周辺の事情にまで広げてお話をする。「ユーザーが求めているのはこういうことです」という、「なぜ」の部分をお伝えしていくということですね。

プランニングのスピード感というのも重要な点です。例えば、ステイホーム期間はレシピ動画が非常に人気でしたが、それは「家でも少しでも楽しく料理を作り、食べたい」「自身の記録として」「他のユーザーとの共有のために」といったインサイトのもとに投稿されていました。でも緊急事態宣言が緩和されると、外食などグルメ動画の投稿がレシピよりも伸び率としてはぐっと上がり始めたんです。「ハッシュタグや動画の再生回数が多いのはレシピですが、今伸びているのはグルメです」というように、なるべく深いディスカッションをするようにチームで取り組んでいます。ただ、独自の「ハッシュタグ」や「エフェクト」を開発する「ＴｉｋＴｏｋオリジナルメニュー」の場合は、例えばオリジナル楽曲を作っていただくなど、プランニングや制作期間がさらに長くなります。なので、どのタイミングのトレンドを意識するのか、どの広さでトレンドを捉えるのかといったところは、さらに注意が必要で難しい部分なんですけれども。

“TikTok売れ”で業界が変わり始めた

テレビなどのメディアを活用し、さらに店頭でのプロモーションも行うといった案件では、広告のプランニング期間は非常に早くからスタートするのが一般的だ。では、TikTokでの広告展開の場合は、どのくらいの準備期間を要しているのだろうか。

今はまだ、我々がクライアントのプランニングサイクルに合わせていくステージだとは思っています。広告メディアが多岐にわたる場合、例えば、テレビ広告は早めに契約をしないといけないと思いますので、であれば、デジタルだけ切り分けてあとで計画するのか、その場合、全体のＩＭＣ（統合マーケティングコミュニケーション）はどうなるのかなど、皆様と一緒に悩みながら取り組んでいる状況です。

一方で、クライアントさんの側にもプランニング手法やサイクルを変えていただかなければ、と我々は思っています。なぜなら、ユーザーの変化についていけなかったら、せっかくのマーケティングも効果が出ないからです。それはＴｉｋＴｏｋに限らずですね。

ＴｉｋＴｏｋはそれが分かりやすく出てしまうだけであって、他のプラットフォームもメディアもそうだと思うんです。すでに一部のクライアントからは「我々も変わらないといけない」というお話が出始めています。

プランニングサイクルが長いクライアントは、間にリテールを挟むようなケースも多く、リテールとの商談前にプランを決めないといけません。そのため、「変えにくい」という話になりがちだったんですけれど、〝ＴｉｋＴｏｋ売れ〟というキーワードが広がり始めたことから、最近はリテール側からＴｉｋＴｏｋの話が出てくるようになったと聞いています。これは変化の大きな種になるのではないかとワクワクしている状況です。

これまでＴｉｋＴｏｋで売れると話題になった事例を見ると、ユーザーが投稿した動画が拡散したことがきっかけでヒットした「自然発生」なものが多い。戦略的にヒットを狙うのは、難しそうにも思える。

そうですね、ただ法則は出来始めています。もちろん商材や単価感によって異なってくるのですが、例えば、動画広告を複数回にわたって配信する場合には、どのタイミングでどのようなクリエイティブを出すのが効果的かなど、経験値も溜まってきました。

我々はクライアントさんと一緒にブランドリフトサーベイを行っていまして、1つひとつのフェーズごとに分析するケースも増えています。まだ完ぺきではないですが、「広告が当たった・当たらなかったユーザー」「どのファネルがリフトしたのか」などの結果を見ながら、少しずつ法則は出来てきていますね。

TikTokは潜在的な顧客にリーチできる場

動画広告はすべてのユーザーに配信するのはもちろん、年齢や性別などターゲットとしたいデモグラフィックだけに配信する、さらには関連動画を長く見たユーザー…つまり関心の高いユーザーだけに、など設定が自由にできるので、そうしたターゲットを絞ったプランニングも増えています。ですが、細かいターゲティングはあまり推奨していないんです。というのは、TikTokは次々と流れてくる動画に出合うことで、潜在的な気持ちが動かされる場所なので、狭めすぎてしまうともったいない(笑)。まず広めに配信しながら、どうしても狭めたいのであれば、視聴・クリックなどどこで最適化を図るのかということを我々は強く推奨しています。

動画広告のクリエイティブについては、TikTokクリエイターを起用した、Tik

ＴｏｋらしいІ動画を作って購買意欲を喚起したいというご相談が増えていますね。ただ、こちらもそれだけではもったいないなと感じていて。ブランドの資産を溜めていくような取り組み、ブランド自体を好きになっていただくような活動をしていかなければ、毎回同じようなことを繰り返すだけになってしまう。せっかくなら、長期的に計画していきましょうという話をさせていただいています。

では、今後はどのような点に力を注いでいこうと考えているのだろうか。

私が入社した18年から最初の1年目は若年層というところでカテゴライズされることが多かったのですが、様々なキャンペーンを重ねることで「ＴｉｋＴｏｋは潜在層にリーチしてから、次のアクションを起こしてもらうまでの期間が短いプラットフォームだ」という認識も広がってきています。ですので、「ＴｉｋＴｏｋらしいことをやりましょう」というのではなく、いわゆる「フルファネル」、どんな課題でもソリューションをご提供できるようになりたいなと思っていますし、なれる土俵ができたと感じています。なにか課題があればシェアしていただき、ＴｉｋＴｏｋで解決やサポートの方法を一緒に考えていけるようにお付き合いさせていただけるとうれしいなと感じています。

CASE STUDY
BUSINESS
05

自社アカウントでファン作り①

飲料
サントリー

バーチャルヒューマンのアカウントを運用 ブランドファンの育成に手応え

サントリーは2020年12月、同年9月に公式インフルエンサーに任命したバーチャル社員であるバーチャルヒューマン「山鳥水生（やまとりみずき）」のTikTokアカウントを開設した。料理を中心とした投稿動画のなかには、万単位の再生を記録する例も出るなど、再生回数は徐々に伸長。ユーザー同士がコメント欄でコミュニケーションを図るなど活発化しており、ブランドや企業へのファン育成に一役買っている。早期からTikTokを使ったプロモーションに取り組んでいた同社は、TikTokがプラットフォームとして成長していることを実感していると話す。

2020年からサントリーのバーチャル社員として活躍する「山鳥水生」。同年12月にはTikTokのアカウント（@mizuki_yamatori）を開設。

20年9月、サントリーがバーチャル社員であるバーチャルヒューマン「山鳥水生」を、公式インフルエンサーに任命したというニュースは、ネットメディアを中心に大いに話題となった。その後、NHKの朝のニュースでも取り上げられている。バーチャルヒューマンとは、3DCG技術を使って、より人間に近いイメージで制作されたデジタル上の人物のこと。19年の『NHK紅白歌合戦』に「AI美空ひばり」が出演した際には、一般層からも注目を集めた。

山鳥水生もCGを使って制作されており、プロフィールも「1993年生まれの27歳。大阪府生まれ。学生時代は長期休みの間だけ、個人経営の地元の居酒屋でアルバイト。座右の銘は、やってみなはれ。好きな動物はネコ」などと、詳細に設定されている。こうしたキャラクターが誕生した狙いとして、20年9月のスタート当時のプレスリリースには以下のように書かれている。

「SNSの普及に伴い、生活者の興味関心や接点が非常に多様化している中、お客様との絆を構築する手法として、これまでもSNSの企業公式アカウントの運用やデジタル上でのコミュニケーションに取り組んできました。近年では、個人として影響力を持つインフルエンサーの台頭に着眼し、人気インフルエンサーを起用した取り組みなどを行ってきました。

その中で、1人のサントリー社員をインフルエンサーとして育て、いち個人としての発信を行うことで、よりお客様に会社の魅力や商品を身近に感じていただけるのではないかと考え、バーチャル社員『山鳥水生』を公式インフルエンサーに起用しました。彼の言葉・表現を通じて、お客様との新たなコミュニケーションを図ってまいります」

短期間でスターが生まれるTikTokで

当初、山鳥水生は静止画系のSNSアカウントで活動していた。自宅でウイスキーを飲む様子や、料理をする姿を投稿し、時には有名人との2ショット画像をアップして話題になったこともあった。ただ、投稿を続ける一方で、当初の思惑通りに運んでいない側面も浮き彫りになっていった。

「当初の構想としては、バーチャルヒューマンをインフルエンサー化するというユニークさがあり、静止画の作り込まれた世界観を発信することで、お客さんが自然とついてきてくれるのではと期待していました。しかし、なかなかフォロワー数が伸びてこないという状況にありました」と、サントリーコミュニケーションズで山鳥水生をはじめとしたデジタルプロモーションを手掛けるデジタルマーケティング本部の香取万葉氏は振

TikTokにこれまで90本以上の動画を投稿。「おうち居酒屋」と題して、料理だけでなく名前入りのグラスまで制作したり、「丸くないたこ焼き」をフライパンで作ったりとユニークな企画が多数。

り返る。理由としては、静止画で伝えられる情報量は限られていて、テキストで補足はできるものの山鳥水生がどのような人物かについて十分な発信ができず、アカウントをフォローするモチベーションに至るまでユーザーを誘導しきれなかったなどと分析する。「ゼロからキャラクターを育てるという観点だと、静止画での発信のみでは、かなり制限があったのかなと思います」（香取氏、以下同）。そこで、よりリッチな情報を発信できるフォーマットとして、動画での発信に転換することを検討した。そこで白羽の矢が立ったのがＴｉｋＴｏｋだった。

「動画のプラットフォームを考えた際、縦型短尺動画ならＴｉｋＴｏｋは必ず押さえておきたいという思いがありましたし、一般の方のなかから短期間でスターが生まれるといった事例も多く目にしてきました。特徴として、コンテンツ自体が面白いものであれば、ユーザーの間に広がるシステムや文化があると感じたので、山鳥水生を知ってもらう最初の入口を広げるためにもＴｉｋＴｏｋさんで展開することを検討しました」

ＴｉｋＴｏｋ Ｆｏｒ Ｂｕｓｉｎｅｓｓサイドとも効果的な投稿内容の作り方などを入念に相談しながら、20年12月、山鳥水生のアカウントを開設した。

パーソナルな要素も盛り込んだ料理動画

ＴｉｋＴｏｋの山鳥水生アカウントでは、主に料理動画を中心に投稿している。ＣＧではなく実写で展開しており、山鳥水生自身は顔を出さないものの、しゃべりながら料理を作っていく動画が多い。動画の中でサントリーの商品がさりげなく映り込む仕掛けだ。「私たちの訴求したい商材はお酒を含む飲料です。動画を見た後には、ビールを飲みたくなったり、映り込んでいる商品に少しでも関心を持っていただくきっかけにしたいと考えています。そこにつながるような動画で、ＴｉｋＴｏｋ上で人気な題材を、と考えました」と、香取氏はグルメ動画を中心に据えている理由を解説する。

また、企業アカウントではなくバーチャル社員という形でのコミュニケーションが起点となっているため、話す内容に関しては人間らしさを出したり、共感を得られるようなフレーズを盛り込むことを特に意識している。料理の作り方の説明だけにとどまらないよう、仕事で疲れたから時短メニューにしようとか、パーソナルな要素を盛り込む工夫をしているという。

TikTokで投稿を開始した頃は、投稿の再生回数が200〜300回にとどまることもあり、先行きが心配になったことがあったというが、TikTok側のアドバイスを参考にしながら動画をブラッシュアップしていったところ、徐々に再生回数が伸びていると感じられるようになったという。「万単位で再生される投稿も現れてきて、やりようによってはかなりリーチを広げられる可能性があるツールだと感じました。再生回数が跳ねたときの数字を見ると、非常にポテンシャルの高いメディアと考えています」。

動画の作り方に関しては、いかに早い段階で内容の面白さを伝えられるかに気を配っているという。「無数にある動画の中で、何秒指を止めてもらえるかが重要。小さな工夫ではありますが、最初の1〜2秒で何を見せるかとか、この動画を見ることでどう役に立つかを素早く伝えるかなどを常に検討しています」。最初はテロップとBGMのみで表現する動画だったが、声を吹き込んでみたところ反応がよく、現在もその形を続けている。

また、投稿のコメント欄では、ユーザー同士がアレンジしたレシピの情報をやり取りするなど活発にコメントが交わされ、コミュニケーションの輪が広がっているのが非常に興味深いと香取氏は話す。「フォローからだけではなく、おすすめフィードから投稿を見てくださる方も、気軽にコメントを書き込んでくださいます。そうしたすごくフラットな意見を見られるのはTikTokの特徴だなと感じます」。

「クラフトボス」ではユーザーから動画を募集

実はサントリーは、早くからTikTokをプロモーション施策に導入してきた企業でもある。18年4月の「ペプシ Jコーラ」の発売時に展開した、タレントがリレー形式でつないでいく動画「ペプシお祭リミックス」では、TikTokで使われるような手法で撮影を行い、TikTok上でも使用したオリジナル楽曲を提供した。また、19年と20年の2回にわたり「クラフトボスTEAシリーズ」のプロモーションとして、「TikTok クリエイティブコンテスト」を実施。対象商品を題材にユーザーからテーマに沿った投稿を募る動画コンテストで、ハッシュタグを付けるだけで応募できるようにしつつ、オリジナルの楽曲やブランドエフェクトも用意した。20年4月に開催した第2回では、総再生回数が1億3000万回を超えた。

こうした施策をはじめ、早期からTikTokを使ったプロモーションに携わってきたサントリーコミュニケーションズ デジタルマーケティング本部 兼 宣伝部 課長の前田真太郎氏は、以下のように当時を振り返る。「クリエイティブコンテストは第1回の時から反響の大きさに驚きました。普通、商品の世界観をイメージして動画を作ってくださいとお願いしても、ユーザーはこちらの期待ほど動いてくれないもの。それが、TikTokを使ったら投稿の数がものすごく、しかもTikTokで活躍しているクリエイターさんも参加してくれて、その動画のクオリティーが非常に高い。そして、それらの投稿に『いいね』がどんどん付く。こうしたユーザーの広がりは、他のプラットフォームではなかなかマネができない構造だなと感じました」。

施策をスタートした18年頃と比べて、TikTokはプラットフォームとしてより成長しているのを感じているという。「TikTokといえば女の子が踊る動画と思われていた頃の単一的な使われ方から、今は本当にコンテンツの種類が幅広くなったと感じています。プラットフォーム自体の幅が広がったことで、より様々なジャンルのクリエイターを引き付けているのだと思います」。

CASE STUDY
BUSINESS
06

自社アカウントでファン作り②

出版
スターツ出版文庫

2015年、スターツ出版が立ち上げた文庫レーベル。キャッチコピーは「この1冊が、わたしを変える。」。TikTok発ヒットが多数。

自然発生のヒットで終わらせないアカウント運用でレーベルのファンを獲得

TikTokでのバズが、売り上げに結び付く。スターツ出版が発刊する小説『あの花が咲く丘で、君とまた出会えたら。』は、そんな〝TikTok売れ〟の初期の代表的な事例の1つだ。同書は一般ユーザーの投稿をきっかけに売り上げが伸びたが、その後、スターツ出版では文庫レーベルのアカウントを開設して発信にも取り組んでいる。その結果、書籍単体の人気を高めるだけではなく、レーベル全体のファンをつかむことに成功。文庫の売り上げも右肩上がりの状況が続いている。

スターツ出版が2016年に発刊した小説『あの花が咲く丘で、君とまた出会えたら。』

（以下、『あの花』）が、20年6月、ＴｉｋＴｏｋに投稿された一般読者の動画をきっかけに、発売から4年近い月日を経て発行部数が20万部を超える大ヒットとなった（詳細は57ページ参照）。音楽ではＴｉｋＴｏｋ発のヒット事例は出ていたが、書籍が売れることは、スターツ出版はもちろんＴｉｋＴｏｋにとってもうれしい驚きの事態。スターツ出版のもとへＴｉｋＴｏｋの担当者から「ぜひ一緒に盛り上げていきたい」という連絡が入り、以降、両社は定期的な情報交換を続けているという。

本の紹介動画を増やしていきたいと考えたＴｉｋＴｏｋは、20年12月16日から「＃本の紹介」というキャンペーンを実施。『あの花』は「スターツ出版文庫」というレーベルから発刊されており、スターツ出版はこのキャンペーンに合わせて、スターツ出版文庫のＴｉｋＴｏｋアカウントを設けて運用することを決めた。

TikTokの活用に乗り出したスターツ出版は、20年12月にレーベルのアカウントを開設（@stabunko）。

「スターツ出版文庫のターゲットは中学生から大学生くらいまで。小説のターゲットとＴｉｋＴｏｋユーザーとの親和性が高いと思います。『＃本の紹介』キャンペーンが行われた直後の12月28日には、小説を紹介する人気クリエイターのけんごさん（214ページ参照）が同じスターツ出版文庫の『交換ウソ日記』を紹介してくれたのですが、その投稿がバズり、売れ行きが6倍に。本のランキングではランキング外から5位に入りました」（スターツ出版・書籍コンテンツ部の今泉俊一氏、以下同）

読者からのコメントを誘発できる作品をチョイス

スターツ出版文庫のアカウントでは、動画投稿の際に心掛けていることが大きく3つあるという。1つは、新刊ではなく既に発刊されている小説を紹介することだ。

「TikTokの大きな特徴は、コメント欄が盛り上がる点です。動画を見たユーザーがコメントを書き込み、さらにそのコメントに対してもコメントが付いて、掲示板のように盛り上がっていく。『あの話が良くて泣いちゃった』『そんなにいいなら私も買ってみよう』といった、学校の休み時間のコミュニケーションのようなものが、TikTokのコメント欄で行われ、親近感や共感性みたいなものが生まれていると感じます」

例えば、『あの花』の紹介動画は400万回再生され、いいねは27万件、コメントも3000件以上付いた。興味深いのは、動画そのものだけでなく、その動画に対するコ

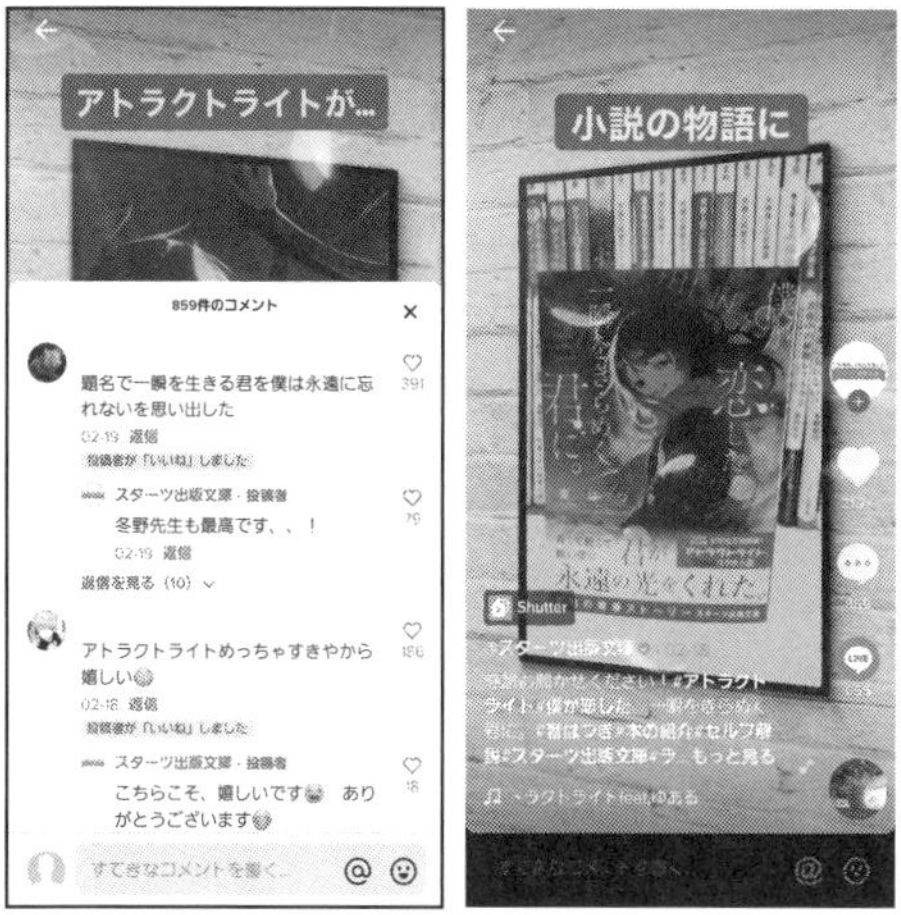

ユーザーからのコメントが期待される作品をTikTokにて紹介。ユーザーのコメントにも、いいねやコメントが付いて盛り上がる（左）。宣伝になるような文言は書かないようにしているという（右）。

メントにまで反響があること。例えば「本は表紙で選んでしまう」というコメントに対して1万3000件のいいねと44件の返信、「学校の朝読書の時間に読んでいました」というコメントには8810件のいいねと48件の返信が付いている。こうしたケースは、他のSNSではなかなか見られない現象だろう。

そして、TikTokでは、コメントやいいねなどのリアクションが多く付いた動画は、広く拡散する可能性が高まる。エンゲージメントの高い動画は、TikTok独自のレコメンドシステムによって、多くのユーザーが視聴する「おすすめ」フィードに登場しやすくなるためだ。

スターツ出版文庫のアカウントが、既発の小説の紹介に注力するのは、まさにコメントが付くことで拡散するのを狙うためだ。「まず、本自体が面白い作品でないと良いコメントは付きません。また、ある程度読まれて、評判の良い作品でないとコメントもしづらいんと思うんです」。読者の評判については、スターツ出版が自社で運営する投稿サイト「ノベマ！」での反応やＡｍａｚｏｎのレビューなどを参考にしているという。

動画のＢＧＭは世界観を伝える重要な要素

２つ目に気を付けているのは、「売れている」や「●●大賞受賞」といった一般的な宣伝に用いられるような文言を使わないことだ。「他のＳＮＳでは、有名人が薦めるとフォロワーさんが反応するという図式だと思うんです。でも、ＴｉｋＴｏｋはユーザー同士がいいよとおすすめするものがバズっていくので、出版社からの〝上から目線〟の押し付けはしないようにしています。出版社はやっぱり新刊を売りたいですし、『売れてますよ』と言いたいんですけれど、ＴｉｋＴｏｋのユーザーはそれを見るとむしろ引いてしまう。ですので、『こんな本ありますよ』と簡単にあらすじを伝えて、あとは『みんなの感想待ってます』といった呼びかけをする程度にしています」。

ユーザー巻き込み型企画も好評。21年3月にユーザーから募った「泣けるスターツ出版文庫大賞」の順位発表動画は、2万を超えるいいねが付いた。同年8月には「胸キュンスターツ出版文庫大賞」も開催。

3つ目は音楽だ。スターツ出版文庫のＴｉｋＴｏｋアカウントは、21年時点で入社3年目の男性社員が運用を担当している。動画を投稿する際には、この社員が作品を読んで、その世界観にあった楽曲も選んでいるという。

「彼はもともとＴｉｋＴｏｋユーザーで、スターツ出版文庫のターゲット層にも近い。また、ＴｉｋＴｏｋを毎日見ているので、そのタイミングでどのような音楽が流行っているのかも分かっているんです。作品の世界観と音楽がマッチしていると、すでに読んでいる人は『これ！』と強く共感してもらえますし、逆にまだ読んでいない人には世界観を想像してもらえる。表紙を映しただけの『あの花』の紹介動画がバズったのも、まさに音楽の効果が大きかったと思います」

このような取り組みが功を奏し、今ではスターツ出版文庫のアカウントでも、いいねが1万を超える投稿も出ている。また、「泣けるスターツ出版文庫大賞」などのユーザー巻き込み型企画も好評だ。「『アトラクトライト』というボカロ楽曲をノベライズした作品を紹介したときには、2万を超えるいいねが付きました。また、10万部級の作品を紹介すると、いいねが多く付く傾向にあります」。

文庫レーベル全体の売り上げが約2倍に

このようなアカウント運営を続けてきたことで、「スターツ出版文庫が好き」というユーザーが増加した。他の作品も売れ始めており、『あの花』が話題になった6月以降、20年のスターツ出版文庫全体の売り上げは右肩上がり。21年上期は前年の2倍程度で推移している。

「『あの花』1作のヒットだけでは、こういう現象は起きなかった。スターツ出版文庫自体のコンセプトは『この1冊が、わたしを変える。』というもので、『何度も読み返してほしい』という思いで作っています。では、どのような本を読み返すかというと、『これを読んで昔泣いたな』だとか、『人生観が変わったな』という部分が必要になる。『あの花』は特攻隊も登場し、若い世代は知らなかったことや命の大切さが描かれた作品。繰り返し読んでも泣けるという部分が共感を呼んで売れたのかなと考えています。

TikTokで認知が広がったのは『あの花』がきっかけでしたが、このようなブランディングのもとでトーンを守っているので、どの本を読んでも同じメッセージが込められていると感じてもらえるはず。だからこそ、他の作品にもどんどん伝播し、レーベルを好きと感じていただけるようになったのではと思います」

また同社では、いいねの付いた数でどれだけ部数が伸びるかといった分析も進めているという。

「どの投稿がバズるかどうかという部分は本当に難しく、我々が頑張っても1万いいねがやっとです。ですが、出版社よりもユーザーの方の紹介動画に多くの反響があるほうがいいのかなとも思いますね。今回のヒットで、本が好きな子ってまだまだいるんだと実感ができたんです。本が好きと言う場や話すきっかけがなかったけれど、同じような人がいると分かったときに共感のコメントをしたり、自分のおすすめの本を紹介したりする。TikTokでそんなコミュニケーションをしてくれるのが、出版社としては一番うれしい。そうして、レーベルのファンになっていただけることで、ビジネスとしても広がっていくのかなと考えています」

CASE STUDY
BUSINESS
07

自社アカウントでファン作り③

スポーツ
川崎ブレイブサンダース

パートナーシップ締結で躍進 非バスケットファンにも認知を拡大

2020年9月、プロバスケットボールリーグ「Bリーグ」のクラブで初めて、TikTokとパートナーシップを締結した川崎ブレイブサンダース。それまでもYouTubeなどSNSでの発信に積極的だったチームだが、選手のプレー動画や人気TikTokクリエイターとのコラボ動画などがバズり、バスケットボールファン以外へも認知を広げている。TikTokのスタートをきっかけにYouTubeの視聴も伸びるなど、SNSを使った宣伝戦略全体にも大きな影響を与えたという。

Bリーグ東地区の強豪チームとしてバスケットボールファンの間では、すでによく知

常にBリーグで上位の成績を残す常勝チームである、川崎ブレイブサンダース。チームロゴは、ゴールリングに突き刺さる稲妻がモチーフ。

られている「川崎ブレイブサンダース」は、経営母体がIT企業のDeNAということもあり、デジタルやオンラインへの取り組みを積極的に展開してきた。19年には公式YouTubeチャンネルを開設、再生数が170万回を超える動画を生み出すなど人気を集め、集客につなげたという成功体験もある。

若年ファンが多いバスケとTikTokは好相性

しかしながら、コロナ禍で思うように集客がかなわなくなった20年、SNSの運用を担当するDeNA川崎ブレイブサンダース・事業戦略マーケティング部部長の藤掛直人氏は、チームのさらなる認知度アップを目指してTikTokの導入を検討し始めた。野球やサッカーに比べると、Bリーグのファンの年齢層は低いため、若い世代に支持されるTikTokは相性がいいと考えたのだ。さらに、TikTokが基本「おすすめ」フィードを見る文化

試合のハイライトなどプレーを中心に、TikTokのトレンドを取り入れた動画も（@brave_thunders）。

であることから、新しい人たちにもリーチできるとの期待も大きかった。

そこで藤掛氏は様々な人脈をつたい、TikTokのスタッフにアプローチを試みる。「YouTubeが成功したのも、トレンドやフォーマットに則った動画を作ったからなんです。『郷に入っては郷に従え』じゃないですけど、どうすればTikTokユーザーに響くのかを徹底的にヒアリングし、開設後の施策を考えていきました」(藤掛氏、以下同)。その熱心な姿がTikTokを動かすことになる。Bリーグのチームとして初となるパートナーシップを締結することになったのだ。「いろんな動画施策を迅速にTikTokで展開しようと考えていたことに価値を感じてもらえたようでした。一緒にスポーツでの成功事例を作り、スポーツ界にTikTokを広めていきましょうと」。

縦型動画はバスケの迫力を伝えるのに最適

20年9月にアカウントを開設。試合映像から切り出したプレー集や選手の紹介動画などを投稿していったが、当初は再生数がなかなか伸びなかったという。投稿を続けるなかで、尺を長くしすぎないほうが再生回数が伸びると気が付いた。「それ以前にYouTubeで制作してきた動画は10分20分を超えるものも珍しくありませんでした。TikT

海外からも多数視聴された「ダンク祭り」（右）、選手ごとのスーパープレー集（中）など、縦型を生かした迫力のある動画が多数。TikTokで人気の「指男」の音源を使った動画（左）などの企画も。

ｏｋのようなショート動画では、より直感的な分かりやすさが必要で、できる限りコンパクトにまとめるよう心掛けていきました」。

試合中の映像からプレー集を作成する際は、もともと横型で撮影されたものをＴｉｋＴｏｋに合わせて縦型に切り取るが、この作業も慣れるまでは大変だったという。「最初は、幅の狭い縦型の映像でボールや選手の動きを見やすくすることに苦労しました。ただ、縦だと１人にギュッと寄った画が作れるため、ダンクシュートなどのシーンでは横形よりも迫力のある映像に仕上がる。そんな利点も徐々に分かってきましたね」。運用前から想定はしていたことだが、サッカーなどに比べて攻守の切り替えが速く、点もたくさん入るバスケットは、１試合の映像から数多くのハイライト

国内有数のフォロワーを誇るTikTokクリエイターの景井ひなは、バスケットボール経験者。実際の試合にゲスト参加した際は、ハーフタイムでレッグスルーに挑戦して注目を集めた。

動画を作れるため、TikTokと相性が良いと確信したそうだ。

これまでに投稿した動画のなかで、特に大きくバズったのは、21年2月の「ダンク祭り」。21年11月現在、200万再生を超えている。川崎の選手が次々と現れてダンクシュートを決めていく、シンプルかつインパクトのあるビジュアルが評判となった。各選手の華麗なダンクシュートに集中してもらうために画面上のテキストは最低限の説明に絞り、選手が登場するごとに国旗のアイコンと身長だけを表記したという。「実はこれにはもう1つ意図があって。海外ユーザーの方も理解できるよう、日本語は使わず非言語でのコミュニケーションを意識しました。海外の方からの評判も良くて、英語、韓国語、ロシア語などでもコメントが書き込まれて盛り上がりました」。

流儀にならおうと、ＴｉｋＴｏｋ内での流行も取り込む。例えば、指を鳴らしながら叫んで走り去る動画が世界中でバズった人気ＴｉｋＴｏｋクリエイター・指男の音源を活用したミーム動画なども投稿している。「指男さんのミーム動画は練習中に選手にお願いして撮影したんですが、ＴｉｋＴｏｋで話題の動画だけに反響は大きかったですね。コメントが多く寄せられたのも印象的でした。コメント欄の盛り上がりと再生回数は関連しているので、動画ごとにどんなコメントが付くのかなども意識しています」。

人気ＴｉｋＴｏｋクリエイターとのコラボも展開

川崎ではパートナーシップの強みを生かし、ＴｉｋＴｏｋとの様々なコラボレーションも展開している。20年10月には日本のプロスポーツクラブとして初のＴｉｋＴｏｋ ＬＩＶＥに挑戦。さらに、人気ＴｉｋＴｏｋクリエイターともタッグを組む。20年11月に2人組の伊吹とよへを招いて制作した動画は４００万再生を記録。翌年2月に2人がホームゲームに来場した際は、チアリーダーの楽屋を訪れる様子などをＴｉｋＴｏｋ ＬＩＶＥで配信し、話題を呼んだ。

3月には、TikTokフォロワー数が日本女性最多のクリエイター、景井ひなを迎えてTikTok LIVEを配信し、その際に観戦チケットが当たるプレゼントキャンペーンを展開。新たなフォロワーの獲得に結び付けることに成功した。後日、景井はホームゲームにゲストとしても参加し、TikTok LIVEで選手から伝授された「レッグスルーチャレンジ」をハーフタイムに披露するなど、生の試合の魅力の喚起にもTikTokをうまく利用している。

「TikTok LIVEを見たいからという理由で、新たにアカウントをフォローしてくださる方も多いので、コラボレーションは重要だと思います。またTikTok LIVEは、質問やリクエストにもその場で応えられるインタラクティブなところが強みですね。景井さんを迎えたプレゼントキャンペーンでは、潜在的にバスケの試合を見たいと思う方がこんなにいるのかと、うれしい驚きがありました」

不特定多数にアピールできるTikTok

TikTokは、アカウント開設時に各プラットフォームの位置付けを明確にした上で運用をスタートした。もともとはファンを獲得するためのファーストステップとなる

〝認知の拡大〟はＹｏｕＴｕｂｅでと位置付けていたが、ＴｉｋＴｏｋがそこを担えるように運用を続けてきた。「ＴｉｋＴｏｋは媒体の特性として、まだバスケットの魅力を知らない人たちにも届けられるため、認知してもらうには1番効率がいいですね。そして、選手のキャラクターなどを知ってもらうために長めの動画を置いて〝興味の喚起〟を促す、ＹｏｕＴｕｂｅへとつなげることを意識しています。実際にＴｉｋＴｏｋを始めてからＹｏｕＴｕｂｅの再生数も伸びてきており、導線がうまくできてきたのかなと。その後に、ＬＩＮＥアカウントの登録にまで持っていけると、来場の可能性はかなり高まると感じています」。

なお、川崎ではデジタル領域の〝空白地帯〟だったという試合中にも、新たな楽しみを創出する予定。現在、「ＰＩＣＫＦＩＶＥ」というアプリを開発中だという。「試合で活躍しそうな選手を予想し、その活躍度によって獲得できるスコアをユーザー同士で競い合うデジタルカードゲームで、22年2月のリリースを目標にしています」。さらに、試合のハーフタイムなどではＴｉｋＴｏｋを活用した「#ひらめきＴｉｋＴｏｋ」というクイズイベントをスタートした。リアルの場でもＴｉｋＴｏｋをはじめとしたデジタルツールによって、バスケットの楽しみ方を広げていきたいと考えているようだ。

CASE STUDY
BUSINESS
08

自社アカウントでファン作り④

アート
寺田倉庫

アートの入門者も親しみやすいと人気 専門家が解説するＴｉｋＴｏｋ ＬＩＶＥ

寺田倉庫は、拠点である東京のベイエリア、天王洲で「TERRADA ART COMPLEX」を展開するなど、アートの街としての発展に注力している。

近年、アート事業に力を入れる寺田倉庫。コロナ禍で企画展の休止などを余儀なくされるなか、ＴｉｋＴｏｋの拡散力に着目し、２０２１年３月に同社運営の３施設合同による公式ＴｉｋＴｏｋアカウントを開設した。同年７月には、ＴｉｋＴｏｋとパートナーシップを結んだ。特徴的なのは、施設の特色を生かした「ＴｉｋＴｏｋ ＬＩＶＥ」の配信を積極的に行っていること。美術のプロたちによる分かりやすい解説が人気を集めている。

20年に創業70周年を迎えた寺田倉庫。これまで美術品やワインの保管など、富裕層に向けたサービスを行ってきた同社が、さらにアート事業への取り組みを加速させている。

アートで地域活性化を目指す東京・天王洲地区で中核的な役割を果たしており、日本最大級のギャラリーコンプレックスである「TERRADA ART COMPLEX」や大型イベントに対応したレンタルスペースを複数運営。自社のカフェや宿泊施設とも連携し、多角的にアートとのつながりを提案している。

TikTok×アートという新しい取り組み

そんな寺田倉庫が、21年3月に公式TikTokアカウント「TERRADA ART PROJECT」を開設。現代アートのコレクターズミュージアム「WHAT MUSEUM」、アートギャラリーカフェ「WHAT CAFE」、伝統画材ラボ「PIGMENT TOKYO」という、3施設の情報を発信している。

そもそも寺田倉庫は、来場者の裾野を広げるべく、若年層に支持されるTikTokに可能性を大いに感じていた。一方で、もっとアー

開設は21年3月。(@terrada_artproject)。ニッチでコアなアートの世界を分かりやすく発信中。

伝統画材ラボ「PIGMENT TOKYO」から、岩絵具を使って桜を描くワークショップをライブ配信した。

トやカルチャー領域での広がりを求めていたTikTokの思いも重なったことで、同年7月にパートナーシップを締結。細部への助言やフィードバックを受けられるようになったという。寺田倉庫 スペースコンテンツグループの古後友梨氏は、「例えば、最寄り駅の天王洲アイル駅から3施設へのアクセスを、実際に歩いて紹介する早回し動画があるのですが、これはTikTokからのアドバイスを受けて作成したものです。他にも、TikTok LIVEの模様をレポート化してもらえるため、二次的な波及効果も生まれました」。

TikTok LIVEでアートの魅力をじっくり解説

寺田倉庫では、TikTokに投稿した動画で認知を拡大することはもちろんだが、特に重要視したのはTikTok LIVEだという。「TikTok LIVEはじっくりとアートの魅力を発信できます。それぞれの施設で配信する内容や、配信に最適な時期など、TikTok側の担当者と話し合いながら決めていきました」(古後氏、以下同)。

21年3月のアカウント開設から10月末までにライブ配信を計5回行っており、いずれもアートや建築の専門家たちが出演し、毎回、違った趣向の内容となっている。初回は4月、「PIGMENT TOKYO」から「#TikTokに春がきた」と題して、日本画に使われる岩絵具を使って絵を描くというライブをワークショップ形式で配信した。アートにあまり詳しくない人にも興味を持ってもらうため、分かりやすさ、親しみやすさも重要視したそうだ。

2回目は6月に「WHAT MUSEUM」から配信。これは、同施設が20年12月から21年5月にかけて開催した企画展の「―Inside the Collector's Vault vol.1―解き放たれたコレクション」展と「謳う建築」展をそれぞれの展覧会担当者が解説したガイドツアー。「展覧会を改めて振り返る内容で、緊急事態宣言により会期中の多くの期間、休館せざるを得なかった施設側からアートファンへ向けた思いを込めました」。

従来より「WHAT MUSEUM」では、インスタグラムでのライブ配信は行っていたという。しかし、改めてTikTok LIVEに注力するのは、集まるユーザーやメディアの層に違いがあるからだ。「インスタグラムでのライブ配信は、もともとアートや建築に興味があるフォロワーに向けられたもの。一方、TikTok LIVEは〝通りすがり〟のTikTokユーザーが見てくれる可能性もあるため、若い人にアートへ興味を持ってもらいたいという当初の思いにマッチするんです。配信する際もより噛み砕いた説明をするよう心掛けています」。

地方在住の建築学科の学生から感謝の言葉

7月の、通算3度目のライブ配信は、「WHAT MUSEUM」が運営する「模型保管庫」から行われた。建築家や設計事務所から委託された建築模型を600点以上保管し、その一部を公開するという寺田倉庫だから実現できた企画だ。初回と同様、ニッチな世界に光を当てたものだが、近年、ファッションやカルチャーに関心が高い若い世代に建築は人気が高いコンテンツでもある。事実、「模型保管庫」の来場者は、比較的若い世代が多いのだという。ライブ配信では、フォロワーから「施設を初めて知りました」という驚きや喜びのコメントと共に、「今まさに、来館を予約しました」というコメントも寄せられた。配信が直接動員に結びついた好例だろう。

「コロナ禍で1年間東京に行けないという地方在住の建築学科専攻の学生からは、『ラ

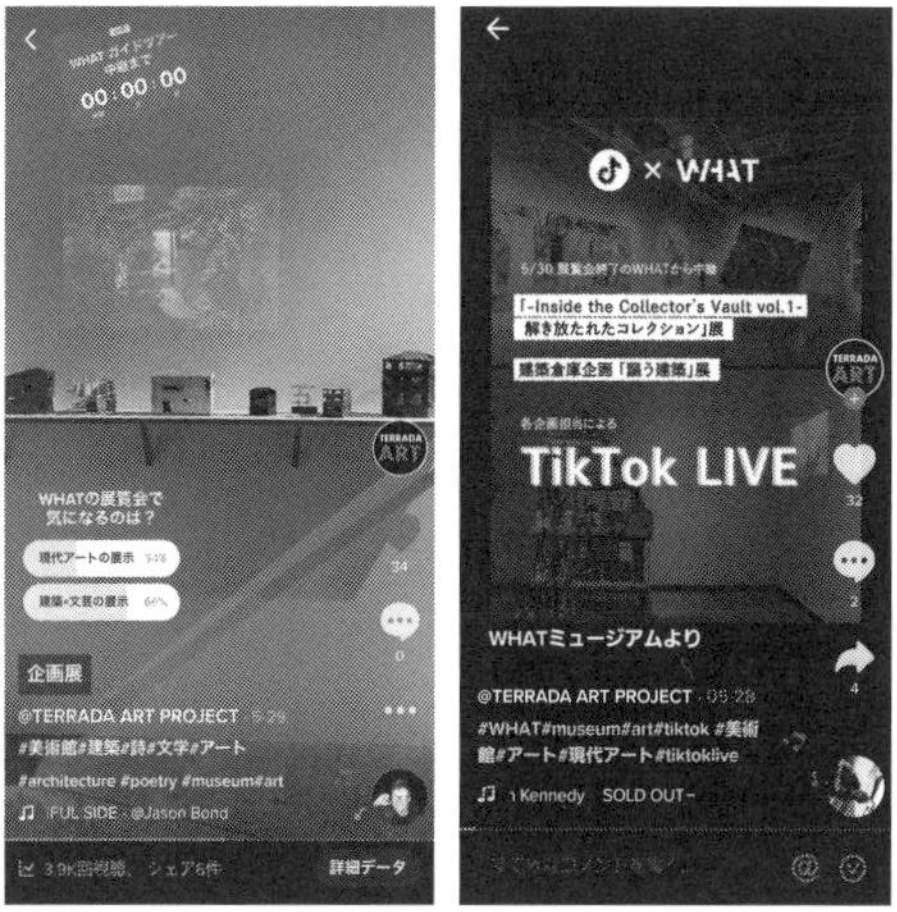

現代アートを中心に企画展などを開催する「WHAT MUSEUM」。コロナ禍で中断を余儀なくされた企画展の展示作品を、専門的知識を持ったスタッフがライブ配信で解説した。

イブをやってくれてありがとう』というコメントもあり、そういった方たちにまで届くのだと、改めて配信して良かったと思いました。また配信後、アート好き、建築好きの方だけでなく、カップルや若い女性も展覧会会場で見受けられるようになったのは、こうした取り組みの効果かもしれません」

10月には、寺田倉庫G1ビルで開催した展覧会「バンクシーって誰？展」の魅力を伝えるTikTok LIVEを実施した。ここで初めて、元乃木坂46の斉藤優里やTikTokクリエイターの「美術解説するぞー！」などの著名人をキャスティングし、若い世代を中心に大きな反響があった。

「他のSNSと比べると、1つのコンテンツでのフォロワーの増加数やリアクションがとても多いと感じます」

TikTok LIVEで配信フェスを

今後は、「WHAT MUSEUM」に出展する現代アートのアーティストや建築家に来場してもらい、作家自らが生で解説するTikTok LIVEなどにも取り組んでいきたい考えだ。

建築模型を保管する倉庫からライブ配信した際は、コロナ禍で上京できない地方学生から感謝された。

「我々の目的はこの天王洲の街に直接足を運んでいただき、アートに触れていただくことです。まだスタートしてから半年ではありますが、TikTokでの発信を通してより多くの方にアートの魅力をお届けできればと思います」

寺田倉庫がTikTokで仕掛ける、若い世代を巻き込んだ新機軸の取り組みは、今後さらに興味深いものになっていくに違いない。

INTERVIEW

TikTokは新たなタッチポイントの場 企業がアカウントを開設する狙いとは

TikTok Japan, Head of Marketing
徳永裕之氏

独自のレコメンドシステムを持つTikTokでは、動画を投稿すると自身のアカウントをフォローしていない人にも動画を見てもらえる可能性を秘めている。昨今、自らTikTokのアカウントを運用する企業や団体が増えているが、その狙いについてマーケティング責任者の徳永裕之氏は「無関心層へのリーチを期待されている」と語る。では、いかにして多くの人に届ける工夫を凝らしているのか、目立った取り組みなどを聞いた。

マーケティングチームではテレビ局やスポーツ関連、アート関連などの企業・団体様などとやりとりをしています。担当の方からよく伺うご要望は、「どのように無関心層にリーチすればいいか」という点です。例えば、テレビ局であれば新番組や新たな試み、もしくはコアな人しか知られていないコンテンツをどのように広めるかという点が課題と聞きます。

タッチポイントがない若年層へとリーチ

もちろん皆さん、他のプラットフォームなども活用されているんですけれども、TikTokの最大の特徴の1つは独自のレコメンドシステムですね。動画が面白ければ次々とユーザーに広がるので、フォロワーがゼロでもコールドスタートがない、つまり、動画が面白ければ無関心の方にもリーチして、認知してもらうことができます。そんなきっかけを作れることが、協業いただくパートナーや各企業の皆様から期待されるところであると認識しています。

例えば、テレビなどのメディアからは、普段ニュースを見ない層やタッチポイントがない若年層にリーチしたいというご相談が多いですね。そこで、別部署のプロジェクトチームが「#TikTokでニュース」という枠組みのなかで、テレビ局や新聞社など50

媒体以上の国内外の大手メディアの皆様にニュース動画を提供いただく取り組みを行っています。

「#ＴｉｋＴｏｋでニュース」は今、週間２億回ほどの再生があり、合計２００万以上ものフォロワーがいます。世代を問わず、非常に多くのユーザー様が日常的にニュースに親しみ、深掘りした情報を得られる場になっていると感じています。

スポーツ界がＴｉｋＴｏｋを活用してファンを獲得

ＴｉｋＴｏｋで広く拡散するためには、動画がＴｉｋＴｏｋユーザーに響く内容であるかどうかがカギとなる。そこで、他のプラットフォームやメディア向けの動画を流用するのではなく、ＴｉｋＴｏｋユーザーに向けたオリジナルコンテンツの制作に力を注ぐ企業や団体が増えている。

パートナーシップを締結している、Ｂリーグの川崎ブレイブサンダースさん（１３２Ｐ参照）は、ＴｉｋＴｏｋクリエイターと選手のみなさんがコラボレーションした動画を投稿されています。バスケットボールファンはもちろん、ＴｉｋＴｏｋユーザーにも「川崎ブレイブサンダース、そしてBリーグって面白いんだな」と思ってもらうきっかけを提供できたかなと思っています。スポーツでは、その他のジャンルのチームとの提携も増えていますね。例えば、大阪の「舞洲プロジェクト」ともコラボレーションしており、大阪市と大阪港の人口島（舞洲）を拠点に活動する3つのプロスポーツチーム、大阪エヴェッサさん（バスケットボール）、オリックス・バファローズさん（野球）、セレッソ大阪さん（サッカー）のアカウント支援などを手掛けています。

このほか、サッカーでは鹿島アントラーズさん、女子サッカーではINAC神戸レオネッサさんなども。女子リーグは男子と比べると注目される機会が少ないなかで、いかにTikTokを駆使しながら知名度を高めていくかと積極的に取り組まれていますね。ハンドボールでは、土井レミイ杏利選手がTikTokでハンドボールの知名度を向上させたいと個人的にアカウントを作り、今は250万人以上のフォロワーがいる大人気クリエイターとなっています。TikTokとしてもその思いをサポートすべく、日本ハンドボール協会・ハンドボールリーグとともにTikTok公式アカウントを開設し、ハンドボール知名度向上のためのサポートを始めました。

20年7月からスタートしたライブ配信機能「TikTok LIVE」を活用した新し

い取り組みも増えているという。

テレビ局さんでは、番組の裏側や撮影現場の様子を見られるコンテンツなどが人気ですが、さらにユニークな活用事例も増えています。21年1月期に放送されたドラマ『書けないッ!?～脚本家 吉丸圭佑の筋書きのない生活～』（テレビ朝日系）では、出演俳優さんが放送直前にドラマの中で演じている役柄でTikTok LIVEを活用したライブ配信を行い、そのままドラマ視聴につなげるという試みに挑戦されました。

テレビの〝裏番組〟となるTikTok LIVE

TikTok LIVE機能を使った事例では、20年には『ミュージックステーション』（テレビ朝日系）や『THE MUSIC DAY』（日テレ系）などもあります。『ミュージックステーション』は放送前に「これから始まるよ」という前振り、さらに終了後には出演アーティストさんが番組に関する質問に答える生配信を実施しました。『THE MUSIC DAY』では、テレビでの生放送中に〝裏番組〟という形でTikTok LIVEを行いました。こちらは古坂大魔王さんがMCを務め、出演前後のアーティストにインタビューを行ったり、ゲームをしたり。日テレさんは年末年始のお笑い番組などでもＴｉｋＴｏｋ ＬＩＶＥを活用されています。

以前はテレビの生放送中に、別の場でコンテンツを配信することは考えにくかったのですが、今ではテレビからＴｉｋＴｏｋ ＬＩＶＥ、ＴｉｋＴｏｋ ＬＩＶＥからテレビとプラットフォームの垣根を越えた取り組みも始まっています。音楽番組やお笑い番組は、自分の好きなアーティストや芸人さんだけを見たいというファンの方も多いですし、今はスマートフォン片手にテレビを見るという視聴方法が一般的になりました。そこで、興味のあるアーティスト以外も見る、あるいは番組自体を長く見ていただくきっかけ作りとしてＴｉｋＴｏｋ ＬＩＶＥを活用していただいていますね。

また、我々は大久保佳代子さんとともにラジオ番組『ＴｉｋＴｏｋ Ｐｒｅｓｅｎｔｓ 大久保佳代子とトレンド遊び』（ＴＢＳラジオ）を制作しているのですが、この番組でもラジオ放送中および終了後に、ＴｉｋＴｏｋ ＬＩＶＥで配信を行い、ゲストの方々との掛け合いや大久保さんがＴｉｋＴｏｋ撮影を楽しんでいる様子をお伝えしていければと考えています。プラットフォームの垣根を越えて連携し、楽しみ方を広げる取り組みは、引き続き提供していきたいですね。

アイデア動画でヒットを創出①

カーディーラー
BMWのオネーサン

「Yamagata BMW」のマーケティング担当。コロナ禍をきっかけに始めたTikTokは、相方のクマとの2人体制で運営中。(@my_name_is_bmwladies)。

山形弁でBMWの魅力を伝え来店客増や販売契約へと発展

独学でトライ&エラーを繰り返しながら、TikTokで多くのバズ動画を生み出しているのが、山形県内唯一のBMW正規ディーラー「Yamagata BMW」のマーケティング担当である「BMWのオネーサン」。BMWの魅力を知ってもらうための機能説明動画を山形弁で行うことによって絶妙なエンタメ要素が加わり、フォロワー数が増加。来店を促進するほか、複数台の販売契約を獲得するなどの成果を上げている。

生まれも育ちも山形県。2019年にYamagata BMWのマーケティング担当に就任したという「BMWのオネーサン」。もともと主な仕事は、展示会の運営や、会社のホームページ、インスタグラム、フェイスブックなどの運用だった。しかし20年にコロナ禍となったことで、リアルな集客イベントがことごとく休止に。そこで新たなプロモーションの場をオンライン上に見出そうと、当時は他のカーディーラーがまだあまり手をつけていなかった、ＴｉｋＴｏｋに注目したそうだ。

2020年5月にスタート。おすすめフィードに載りやすくするため、週3回以上の投稿を続けている。

公式サイトではやらない動画で興味を引く

20年5月にアカウントを開設し、当初はＢＭＷのカッコよさを前面に押し出した、オープンカーが疾走する動画などを投稿していた。しかし、そうした動画は、ＢＭＷジャパンの公式サイトにあるような、プロのカメラマンが撮影したものに比べると見劣りするため、再生回数は伸びなかった。そこで、公式ホームページなどでは絶対にやらないことで興味を引こうと考えたのだという。「5投稿目ぐらいだったと思うのですが、当時ＴｉｋＴｏｋで

TikTokで流行していた「棺桶ダンス」を元ネタにした動画で初バズり。フォロワー数が1万人に激増。

流行していた『棺桶ダンス』を元ネタにした動画を作成したんです。最初の動画から出していた巨大なクマのぬいぐるみが、私がきれいに磨くＢＭＷを雑に触ったことで怒られ、次の場面では、私がクマを、棺桶をかつぐように連れ去るというもので(笑)。それがバズって、フォロワー数が一気に約１万人にまで伸びました」（ＢＭＷのオネーサン、以下同）。

突然の結果に驚きつつも、新規参入でも一気にバズることがあるＴｉｋＴｏｋに可能性を感じ、より注力するようになっていく。ネットで「ＴｉｋＴｏｋのおすすめ」「バズらせ方」と検索しては、気になったことを実践。こまめにＴｉｋＴｏｋのおすすめフィードを見ては、流行っている音源や動画をチェックし、自分だったらどう撮るかを日々考えていたそうだ。運用上のルールも独自に生み出した。例えば、ＴｉｋＴｏｋでは今日流行っていたものが明日には古くなっていることもあるため、なるべく撮り貯めはしないこと。おすすめフィードに載る頻度を高くするため、週３回以上の投稿なども心掛けたという。

そんななかで転機となったのが、ＢＭＷの「機能説明動画」。参考にしたのは、英会話の解説動画で人気のＴｉｋＴｏｋクリエイター、ＭＣ ＴＡＫＡ氏だという。彼の動画をヒントに、「ＢＭＷに乗る人の90％が理解していないこと」という解説動画を制作したところ、大きな反響があったそうだ。「たくさんのお客様から、『あの機能知らなかった！』というコメントが寄せられました。その後も、ＢＭＷならではの安全性について解説したり、自動運転のハンドルアシスト機能などについても積極的に投稿していきました」。

山形弁での機能説明動画に好リアクション

さらに、自分ならではのバズらせ方を見出す。「ＴｉｋＴｏｋで目立つためには、少しの炎上要素というか、見た人たちが引っ掛かる何かが入っていることが重要なんです。ただ、ＢＭＷのブランドイメージを傷つけてはいけないので、そこは慎重にやらないといけない。そう考えてたどり着いたのが、山形弁でした」。

当初は動画内であまりしゃべっていなかったが、しゃべった動画のほうが反応が良かったことから、あえて山形弁を前面に出すことに。「機能説明のような真面目な動画でも、山形弁という一種のエンタメ要素が加わったことで、再生回数が大きく伸びたんです。

方言は文化なので見ている側もあまりバカにできないですしね。これを続けるうちに、方言を聞くために見てくれる方も出てきて、コロナ禍で実家に帰省できない方から『地元に帰った気分になります』というコメントをもらったこともあります」。

ユーザーのコメントがきっかけで制作した動画がバズることもあった。「BMWのドアに挟まったらどうなるんですか？」という質問に対して、実際にBMWのドアに挟まる動画を上げたのだ。「実際に試してみたら痛くなかったので、とりあえずその場にあった全車種に挟まってみました(笑)。コメント欄から気付きを得ることも多いですね」。

TikTokでつながった"先"も意識

動画を制作する際に気を付けているのは、情報を詰め込みすぎないこと。情報過多で時間が長くなると視聴完了率が下がり、おすすめフィードに載りにくくなるからだという。「欲張ってBMWの機能説明をしすぎたことで、1000いいねの予測に対して、半分の500ぐらいしかいかなかった動画などもありました」。

当初は、BMWを少しでも知ってもらうために始めたTikTokだったが、投稿を始めてから1年半が経過し、当初の狙いや目的を上回る結果が出始めている。動画がバズ

BMWの機能を説明する動画をはじめ、山形弁を使っているものには数多くの「いいね」が集まっている（右）。ユーザーからの質問に対して、実際にBMWのドアに挟まるという体を張った動画も人気（左）。

るようになってからは、商品である車自体への興味が高まってきていると感じているそうだ。「現在はＴｉｋＴｏｋのプロフィール欄も充実させていて、ＹｏｕＴｕｂｅやホームページに飛んでもらえるような導線を作っています。その先では、ＢＭＷのオープンカーがかっこよく走っていたり、車の機能や安全性を紹介する本格的な動画が見られる。ＴｉｋＴｏｋの投稿に〝いいね〟をするだけで終わらず、アカウントのフォローまでしたくなるよう意識していますね」。

そうした努力が功を奏し、今ではＴｉｋＴｏｋが来店や成約にもつながっている。これまでに、ＴｉｋＴｏｋで知ってもらったのをきっかけにＢＭＷが2台、ＭＩＮＩが1台売れたそうだ。「どのお客様も40代〜50代の方で、Ｔ

地元・山形のあつみ温泉とのコラボも行い、お互いの注目度が上がるWin-Winの効果を生んだ。

ｉｋＴｏｋユーザーの年齢層の幅広さを痛感しています。また、私たちのＴｉｋＴｏｋが話題となったことで、山形のテレビ番組で取り上げられ、それを見てショールームに来てくださる方も増えていますね」。

21年7月にＴｉｋＴｏｋとインスタグラムで試乗会の告知を行ったところ、2日間で新規客16組、顧客6組が来場するなど、予想以上の反応があったという。「過去に約１００万円の予算をかけて、織り込みチラシだけで告知したことがあったんですが、そのときの新規客は5組。ＳＮＳを使ったＰＲの費用対効果の高さを改めて実感しました」。

最近はＴｉｋＴｏｋで、地元の着物店やあつみ温泉などとのコラボレーションも実施。お互いの企業の認知度が上がり、さらには山形にも注目が集まるということで、Ｗｉｎ-Ｗｉｎの結果を生んでいるそうだ。山形県の青年会議所からは、ＴｉｋＴｏｋの運用についての講演会を頼まれたこともあり、それを見てショールームに来場してくれた経営者もいたという。

「主役は車」という意識を大切に

フォロワーの増加などにより本人への注目度も高まっているが、自身はＴｉｋＴｏｋクリエイターではなく、あくまでもＹａｍａｇａｔａ ＢＭＷのマーケティング担当であり、ＢＭＷの魅力を伝えていくことが最大の業務だと考えているという。「私がＴｉｋＴｏｋを始めてから、他の販売店さんも続々とやられているんですが、スタッフの女性がメインとなっている動画はそこまでフォロワー数が伸びていません。やっぱり、あくまでも主役は車なので、そちらに目が行く動画になるよう常に心掛けています。私自身も最初はスカートを着用したりもしていましたが、今はパンツスタイルで行っています」。

コロナが落ち着いたら、大規模な試乗会などのイベント開催を検討しているとのこと。その際にＴｉｋＴｏｋでの告知をうまく連携させることで、さらなる成約につなげていくことが目標だそうだ。

CASE STUDY
BUSINESS
10

アイデア動画でヒットを創出②

飲食店
金沢フルーツ大福　凛々堂

イチゴ、みかん、キウイなどのフルーツがまるごと入った大福で人気を集め、1年で19店舗に拡大。(@rinrindou_fruit_skytree)。

バズる動画を徹底研究し人気店にオープンから1年で19店舗にまで拡大

「金沢フルーツ大福　凛々堂」は、徹底的なSNS分析のもと、1号店の「スカイツリー店」オープン日の2カ月前から連日TikTokの投稿を続け、バズ動画を連発。2020年11月のオープン時には開店前から約30人の行列を生み出した。その後も、TikTok LIVEを駆使して従業員のファンを作るなど様々な取り組みを行い、凛々堂は1年間で全国19店舗にまで急成長している。仕掛けているのは飲食店におけるSNSマーケティングを得意とする鈴木智哉社長。人気店を生み出すことに成功した秘訣に迫った。

大学の事務職員として働いていた時に副業で始めた焼き肉店「令和ホルモン」が、S

NSマーケティングに基づいた宣伝活動によって、オープンから3カ月で行列のできる人気店になったという鈴木智哉社長。順調に売り上げを伸ばしていたものの、20年から広がった新型コロナウイルスの影響によって客足が激減してしまったという。

オープン2カ月前からTikTokでPR

次の一手として新たな飲食店を開業するために、インスタグラムに様々な食べ物の画像を投稿して、反応を検証していった。すると、フルーツ大福の画像が高い保存数を記録。「画像を保存する」＝「食べたい」という鈴木氏の経験値に基づき、フルーツ大福に目星を付けたそうだ。「集客力としては、フルーツ大福よりも、令和ホルモンで出していた鴨肉丼のほうが強かった。しかし、初期費用の高い焼肉店と比較すると、フルーツ大福はセントラルキッチン1つで調理ができ、初期費用も安い。作り置きもできて、食材費用も安価な

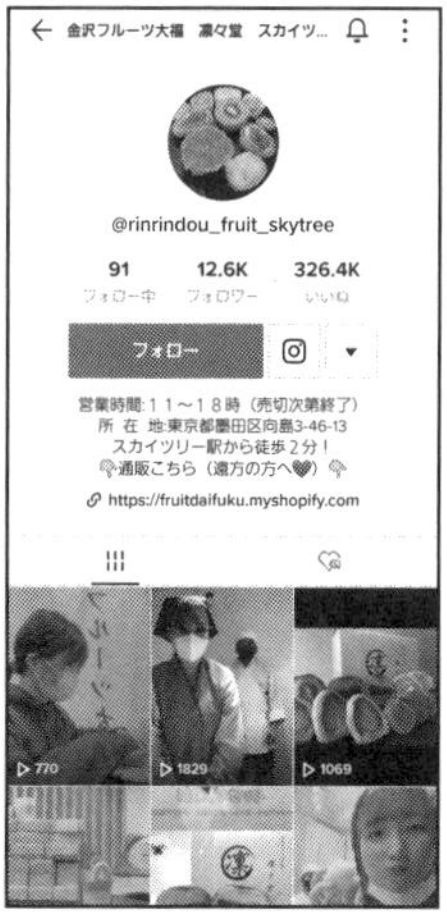

バズる動画を徹底的に研究。TikTok LIVEも積極的に活用し、営業時間内に店内からライブ配信も。

上に、通販や百貨店でも販売できる。トータルで考えた時の商品力は非常に強いと思いました」（鈴木氏、以下同）。

令和ホルモンでのSNSにおける経験から、「TikTokでバズるものはインスタグラムでもバズる。インスタグラムでバズるものはYouTubeでもバズるという法則を見つけた」という。そこで、凛々堂がオープンする2カ月前にTikTokのアカウントを開設。インスタグラムでバズった動画のノウハウを落とし込んでいった。

視聴滞在維持率の高い「これなに動画」

メインで上げていたのは、当時TikTok上で人気となっていた「これなに動画」。「これなにこれなに？」と鈴木氏が歌いながら、フルーツ大福をタコ糸でゆっくり切っていき、中に入っているフルーツの断面を見せるというものだ。「TikTokで大事なのは、視聴滞在維持率、いいね数、コメント数、シェアの数。これが多ければ、その動画はバズります。『これなにこれなに？』と歌いながらゆっくりタコ糸で割いていくので、中に何のフルーツが入っているか視聴者は気になって、最後まで動画を見てしまう。その結果、視聴滞在維持率が高くなるんです」と鈴木氏は解説する。

「これなにこれなに？」と歌いながらフルーツ大福をタコ糸でゆっくり切っていき、中に入っているフルーツの断面を見せる「これなに動画」。視聴滞在維持率が高いためメインコンテンツに。

他にも、動画制作が比較的簡単だったことも大きいという。「動画の編集にこだわると、そのぶん労力がかかる。でも、『これなに動画』はたくさんの種類のフルーツ大福を用意して、タコ糸で割いて、アテレコを入れるだけ。どのスタッフでもできます。最近はピーク時の何十万再生まではいかなくなりましたが、それでも新たに動画を投稿すれば3000再生はされる。それは少ない労力で3000人にリーチできているということなので、費用対効果は高いです」。

正直、SNSは何がバズるか分からない。だからこそ、1度バズったら同じような動画を投稿し続けるのがポイントだというのが鈴木氏の考え。それによって、視聴者への接触機会が高まり、「またこの動画が出てきた」と

フルーツ大福が陳列されているディスプレイの映像に「どれが食べたいですか？」との問い掛けを載せた動画は、ユーザーからのコメントが活性化するため、よりバズりやすくなるという。

いう流れを繰り返すことで、そのアカウントをフォローしてくれる確率が高まるという。こうして1号店を開く約2カ月前から毎日「これなに動画」を投稿し続けた結果、フォロワー数が伸び、オープン日の20年11月22日には開店前から約30人の行列が生まれ、スタートダッシュに見事成功した。

オープン後に投稿し始めたのが、フルーツ大福が陳列されているディスプレー棚を映した映像に、「どれが食べたいですか？」という問い掛けを載せた動画だ。問い掛けることで、ユーザーから「イチゴ大福が食べたいです！」などのコメントが誘発され、エンゲージメントが上がり、バズりやすくなるという。「あえてフルーツ大福の価格が書かれたプレートを映さないのも狙いですね。すると、『金額を隠すな』などのコメントが書き込まれ、それに対して、別のユーザーがまたコメントをしてくれるんです。そうやってユーザー同士がコメント欄で盛り上がってもらえるような仕掛けを意識しています」。

TikTok LIVEで従業員のファンづくり

以前、テロップに誤字のある動画を投稿してしまった際には、「間違ってますよ」というコメントが複数寄せられた。そんな偶然の経験から、今ではあえて誤字脱字を入れることもあるという。「ゼロからバズる動画を生み出すのは本当に難しい。僕はバズっているものを徹底的に因数分解して、バズの要素を割り出し、それを自分のSNSに掛け合わせるのが得意。だから、あまり外さないんです」。

なお、同社ではインスタグラムのトップページに店の営業時間や通販サイトのURLなどを載せており、それを「公式サイト」と位置付けているのがSNSの基本戦略。拡散力の高いTikTokは、そこに誘導するための役割を担っているという。

さらに、凛々堂ではTikTok LIVEも積極的に活用。各店の従業員が営業時間中に店内からライブ配信を行っているのも大きな特徴だ。「今日買いに行きますね」などのコメントが書き込まれ、それにリアルタイムで反応することで、フォロワー数の増加につながっている。「『雨が降っていて売り上げが悪いんです』と配信すると、お客様が駆け付けてくれることも珍しくありません。先日は、ＴｉｋＴｏｋ ＬＩＶＥでお店を辞めることを告知した従業員の最終出勤日に、全国から約40人のお客様が駆け付けくださり、４坪の店内がプレゼントでいっぱいになりました」。

熱いファンが付く理由について、「単純接触効果で、その人の顔をずっと見ているとファンになっていくんです。あと、書き込まれたコメントには従業員がまめに返事をするので、会話をしている感覚になっているのでは」と分析する。ＴｉｋＴｏｋ ＬＩＶＥのギフティングで、１カ月に20万円稼いだ従業員もおり、利益は店と従業員で折半するため、会社も従業員も積極的だという。「アイドルのＣＤがフルーツ大福に変わったみたいな感じだと思います」。

こうした様々な施策により、凛々堂は1号店オープンから約1年で全国19店舗にまで拡大。「僕は、ＳＮＳマーケティングのオンラインサロン（注）も運営していて、そこのメンバーから凛々堂のフランチャイズオーナーも生まれています。今後はそういう人たちがもっと出てくるよう、お店の知名度をさらに上げていき、まずは50店舗を目指したいと思います」と、当面の目標を話す。

※…http://tomoro.online/blog/2021/04/04/191/

新業態「クマの手カフェ」もオープン

一方で、鈴木氏は凛々堂以外の店舗開設にも着手。21年には東京・日本橋に「フルーツパンナコッタ」、大阪市内には新形態の「クマの手カフェ」も新たにオープンしている。クマの手カフェとは内装が壁1枚で、その壁に穴が開いており、そこから熊のぬいぐるみの手のようなものが出てきて、コーヒーやパフェなどを渡すという販売スタイルの店舗だ。うつ病などを患った人などをサポートする社団法人「メンタルサポート総合学園」と組んで運営しており、非対面でも働けるため、心を病んでしまった人が社会復帰の足掛かりとなる職場というコンセプトとのこと。

「今はフルーツ大福が流行っていますが、SNSにおけるブームのサイクルは非常に速い。だから、商品や看板を変えれば違うお店として継続していけるようなスキームを持った、SNS×飲食店のあり方を模索していきたいと考えています」。

内装は壁1枚で、そこに開いた穴から熊のぬいぐるみの手だけが出てきて、ドリンクなどを渡してくれる「クマの手カフェ」。

アイデア動画でヒットを創出③

旅館
鳥羽ビューホテル花真珠

ギャップ人気のダンス動画をきっかけに旅行予約サイトで地域No.1の座に

2020年からの新型コロナウイルスの感染拡大に伴い、宿泊施設はいまだ苦境に立たされている。そんななか、TikTokを活用して集客アップにつなげているのが、1980年に創業した三重県の「鳥羽ビューホテル花真珠」だ。21年2月に、公式アカウントをTikTokに開設。普段は真面目に働く社員たちのダンス動画などが話題となり、来館客を後押し。旅行予約サイトの評点が地域No.1となる効果も表れ、売り上げの増加にも大きく貢献しているという。

三重県鳥羽市に建つ眺めが自慢の温泉旅館は、コロナ禍でもTikTokの活用で集客に成功。アットホームな接客で人気を集めている。

40年の歴史を数える老舗の旅館が、なぜTikTokを活用しようと決断するに至ったのか。ＴｉｋＴｏｋ動画にも出演する、「鳥羽ビューホテル花真珠」の三代目女将・迫間優子氏は、その理由を「不安からだった」と振り返る。

「コロナの感染拡大により、20年12月27日にＧｏ Ｔｏトラベルキャンペーンがストップすると、みるみる予約がキャンセルになりました。最初の緊急事態宣言が出た20年の5~6月に2カ月間休館し、ようやくお客さんも戻ってきた矢先でしたから、スタッフもこの先どうなるのだろうという不安を感じていたと思います。21年2月になって『そろそろ何かしなければ』と思いましたが、コロナ禍で積極的に集客をしていいのかも分からない。そこで、フロントのスタッフに、旅館の名前を少しでも知ってもらうくらいのつもりで、以前から気になっていたＴｉｋＴｏｋを始めてみるのはどうかと話したんです」（迫間氏）

すでにツイッターやインスタグラムなどの公式アカウントを運用し、ＳＮＳでの発信に積極的だった同旅館。ＹｏｕＴｕｂｅへ動画を投稿したこともあったが、制作にかかる労力に対し、再生回数が見合わないと感じていた

流行の曲に合わせてダンスする動画など、従業員のほとんどが出演している。(@tobaview)。

という。その点、短尺のTikTokなら動画制作の手間も軽減できる。ただ、コアのユーザーが若い世代であるTikTokと、老舗の旅館との相性はまったくの未知数。旅館のブランドイメージを落とすことなく、認知度をアップさせるという難題に取り組むよう命ぜられたのは、フロントスタッフの是松優作氏だった。

「TikTokは若い子が楽しんでいる動画を上げるイメージが強かったので、女将から最初に言われたときは正直驚きました(笑)。ただ、じっとしていられない状況でもあり、後輩たちを誘って、そのときにTikTokで流行していた通称『ルナルナダンス』に挑戦してみたんです」(是松氏)

動画がバズった理由は〝ギャップ〟の面白さ

初投稿となったダンス動画は、スーツ姿に身を包んだ真面目そうなフロントマン3人が突然、流行のダンスチューンに合わせて軽快に踊るというもの。それがいきなりバズり、220万回再生を記録する。再生回数がどんどん伸びていくという予想もしない展開に目を疑いつつも、同時に「これはいけるかもしれない」という自信にもつながっていったそうだ。その後も、NiziUの『Make you happy』、BTSの『Dy

初投稿でいきなり高再生を記録した「ルナルナダンス」(右)。女将も着物姿でダンスを披露する(中)。和装姿の女性従業員が、バイクで颯爽と帰宅する動画も「バイク女子」効果もありバズった(左)。

nam・ite』など、TikTokで話題となっているダンス動画を次々に制作。フロントマンに加え、他の従業員や女将までもが出演するようになっていった。

　バズった効果はいきなり表れた。ちょうど、3月10日に三重県で緊急事態宣言が解除されるというタイミングと相まって、客足が戻ってきたのだという。「TikTokは反応が早いなと思いました。実際にアンケートを見ると、TikTokで知ってくださったお客様も多くて。お子さんが私たちの動画にハマってくれて、それを親御さんも見てくれた結果、宿泊に至ったご家族も少なくありませんでした。また、中年男性の方も結構見てくださっているようで、それは意外でしたね。少しずつですが、まずTikTokで興味を持ってもらい、そこから料理の写真などを載せているインスタグラムで当館の詳細を知っていただき、宿泊につながるという流れもできました」（迫間氏）。

しかし、ダンス動画といえば、ＴｉｋＴｏｋのなかでも人気ジャンルの筆頭だ。星の数ほどある定番動画のなかで、鳥羽ビューホテル花真珠のダンス動画がバズった理由について、「ギャップが受けた」と迫間氏は分析する。「最初の投稿がうけたこともあって、ダンス動画を中心に上げ続けていたんですが、夏場に入って半袖シャツで踊ったら、再生回数がいつもより伸びなくて。衣替えの時期が来て冬服のスーツに戻ると再生回数が戻ったんです。そこで気付いたのは、『スーツを着て白手袋をはめた真面目そうなフロントマンが、トレンドのダンスをしているのがおかしいんだ』ということ。視聴者の方は、そのギャップを楽しんでいたんですよね」（迫間氏）。

その学びから、ギャップを意識して動画を制作することも増えたという。和装の女性従業員が瞬時に着替えてオートバイで颯爽と帰宅する動画は、ギャップに加えて「バイク女子」というワードもフックとなって再生回数が伸びた。「まずは〝バイク女子〟の威力に驚かされました。しかも、動画を見た方からコメント欄で『バイクで行きたいのですが、屋根付きの駐車場があるんですか？』といったご質問をいただいて。完備していることをお伝えすると、同じようにバイクで宿泊に行きますというお客様が続くなど、思わぬ方向に広がりを見せた動画となりました」(迫間氏)。

旅行予約サイトでの評点が大幅アップ

TikTokの導入がもたらしたポジティブな変化はこれだけにとどまらない。1つは、求人だ。TikTokを見て明るく風通しの良い雰囲気を感じ、「こんな旅館で働きたい」と高校生の応募者が増え、例年苦労する求人が21年は順調に進んだそうだ。そして、宿泊客を迎えるスタッフの接客への姿勢も変わり始めた。約40名いるスタッフのほとんどが動画に出演したこともあり、〝常に見られている〟ということをより強く意識するようになったのだという。

「接客業なのでもともと見られるという意識はありましたが、より強くなりましたね。館内でもお客様から、『実はTikTokの動画で見て来ました』と言われることも多くて。お客様は、事前にTikTokで私たちのことを知った上で当館にいらっしゃっているのだなと常に意識をするようになりました。と同時に、お客様と打ち解けられるのが以前より早くなったのも大きな変化です。フロントは、基本的に『初めまして』なのですが、私たちを知っている前提でお越しになるお客様が多いので、いい意味で距離感

を縮めやすくなりました」（是松氏）
宿泊客との近い距離感は、売り上げに直結するさらに大きな効果を生み出した。それが、〝旅行予約サイトでの評点アップ〟だ。「楽天トラベル」「じゃらん」などの旅行予約サイトは、接客、設備、食事などを利用者が星やポイントで評価する仕組みとなっている。この評点が少しでも高くなるよう、各宿泊施設ではいろいろな手を尽くしているが、鳥羽ビューホテル花真珠ではＴｉｋＴｏｋを始めた21年3月以降、大幅にアップ。「じゃらん」で三重県1位、全国でもトップ１００位内に入ることができた。
「予約サイトではポイントで掲載順位が上がるので、評点は売り上げに直結するんです。例えば、1位と2位では１０００万円くらい差が出ることもあるほど。これまでは、ポイントを上げるために料理を一品サービスなどしていましたが、接客の評価を上げるのは特に難しいと感じていました。でも、ＴｉｋＴｏｋを始めてから、『じゃらん』で4・1だった評点が4・5にアップ。コロナ禍でも、例年通りの売り上げを確保できています。また、旅の形態が観光中心から施設を楽しむ方向へ様変わりしたことも、ＴｉｋＴｏｋで宿を紹介したこととマッチしたと感じます。私たちが目指していた『スタッフに会いに来ていただける旅館』が実現できつつあるのかなと思いますね」（迫間氏）
今後はＴｉｋＴｏｋを利用して地域全体のフックアップにも力を注ぎたい考えだ。すでに、鳥羽水族館や鳥羽の海女さんなどとのコラボレーション動画も制作しており、地元の優良企業やＴｉｋＴｏｋクリエイターとも積極的に関わりたいとの意欲ものぞかせる。鳥羽ビューホテル花真珠の、ＴｉｋＴｏｋでの挑戦はまだまだ続きそうだ。

ＴｉｋＴｏｋを利用して地域全体との連携も

「旅館には清掃業や水産業、飲料、クリーニングなど多くの方々が関わっています。裾野が広い業界であると知っていただきたいと思い、つながりのある観光施設に出向いて一緒に踊ったり、鳥羽の海女さんと撮影したりしました。某協会からのご依頼で、私と是松の２人でＴｉｋＴｏｋ講習会をさせていただくようにもなりました。手前味噌ではありますが、私たちは旅館業界で世界一のＴｉｋＴｏｋクリエイターだと自負しています。ジャンルが狭いので、世界一と名乗っても許されるかなと思っています（笑）」（迫間氏）

付き合いのある漁業関係者や観光施設とコラボし動画を制作。地元の盛り上げに一役買っている。

CASE STUDY
BUSINESS
12

アイデア動画でヒットを創出④

結婚式場
ベル・カーサ

結婚式場業界の大手、ベルヴィグループによる福島県・福島市の結婚式場。2019年7月からTikTokのアカウント（@b_casa22）を運用している。

鉄板の4パターンの動画を投稿
若年層の将来的な成約も視野に

結婚式場業界の大手、ベルヴィグループによる福島市の結婚式場「ベル・カーサ」が運営するTikTokアカウントのフォロワー数は3万5000人超。ブライダル業界のアカウントとして随一の数を誇る。TikTokでは様々な試行錯誤を繰り返した結果、大きく4つの動画パターンにたどり着き、施設の認知度向上などに貢献。TikTokのメインユーザーである若年層が結婚適齢期を迎える将来も視野に入れながら、長期的なビジョンを持ってイメージアップに努めている。

ベル・カーサがTikTokのアカウントを開設したのは2019年7月。既にインスタグラムとフェイスブックは運用しており、「SNSを強化する」というグループ全体の方針に則り、各式場で一斉にTikTokを始めたそうだ。

トライ&エラーを繰り返して学ぶ

しかし、最初の頃は動画の再生回数がなかなか上がらず、トライ&エラーを繰り返していたという。ウェディングプランナーチーム内でTikTokの運用を中心となって担う中嶋優衣氏は、「当初は集客を目標にしており、『明日、ブライダルフェアがあります』みたいな投稿を行っていたのですが、全然反応がなくて…。TikTokはいろんな人のおすすめフィードにどんどん流れていくので、ある程度までは再生回数が伸びるのですが、フォロワー数が少ない段階で宣伝のみの動画を上げてもあまり広がりがありませんでした。投稿を続けるなかで、そんなことを少しずつ学んでいきました」と当時を振り返る。

TikTokの目標を当初の「集客」から「認知」へと方向転換したことが、成功につながるきっかけに。

フォロワー数を増やすには、何より続けることが大切と考え、様々な動画を投稿していった。スタッフたちが働いている姿や、結婚式直前の会場の様子を上げたり、実際に式を挙げた新郎新婦に出演してもらったこともある。そうして続けていくなかで、改めて気付いたことがあったという。

「当時のＴｉｋＴｏｋのユーザー層は10代が多かったので、式場の利用を促す直接的な効果は難しいなと。そこで、まずはベル・カーサを認知してもらうツールとして、ＴｉｋＴｏｋを活用しようと方向転換したんです。そこから結婚式の知識系の動画など、見てためになるものも投稿するようにしました」（中嶋氏、以下同）

動画のジャンルを絞ることで再生回数が伸長

試行錯誤を繰り返しながら、徐々にフォロワー数を伸ばしていくなかで1つの転機が訪れる。21年の春先にＴｉｋＴｏｋ側から、「ジューンブライドに向けて、『#結婚』というブライダルキャンペーンでコラボしませんか」と相談を持ち掛けられたのだ。その際に、これまでの投稿内容を踏まえた上で、改善案のアドバイスをもらったという。

「私たちは複数のスタッフがそれぞれの裁量で投稿する体制だったので、動画の内容

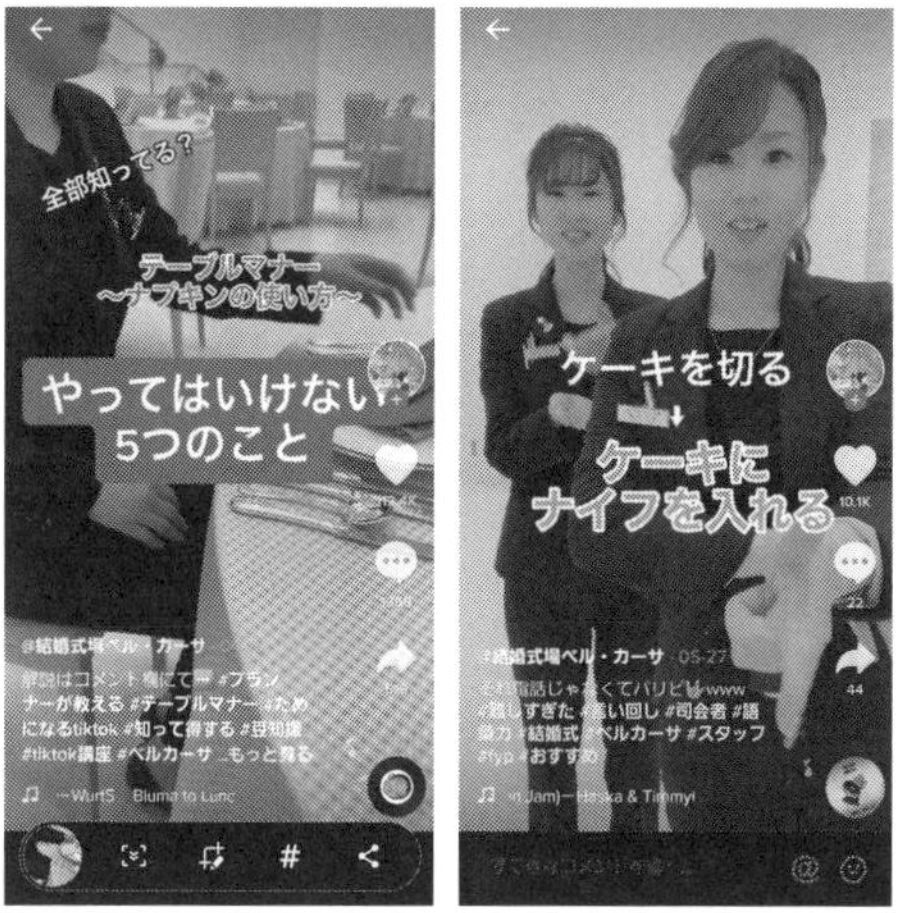

「ケーキにナイフを入れる」といった結婚式ならではの言い回しをダンスに乗せて説明したり（右）、ナプキンの使い方でやってはいけないことをまとめたもの（左）は、ともにバズ動画となっている。

や編集方法にかなりばらつきがあったんです。そこは統一性を持たせたほうがいいとの指摘を受け、これまで反響が大きかった動画の傾向を参考に、大きく４つのパターンで運用することにしました」

それが以下の①〜④となる。

①結婚式に関する知識を入れ込んだダンス系動画
②結婚式のマナー系動画
③お客様からの質問に答える動画
④ＶｌｏｇなどＴｉｋＴｏｋの流行系動画

①のダンス系動画に関しては、以前からＴｉｋＴｏｋで流行している曲を使用し、複数のスタッフがダンスする動画を投稿していたが、

それだけでは多くの「いいね」を獲得できていなかった。そこで結婚式にまつわる豆知識をダンス動画に取り入れることで、後から確認するための〝保存〟の意味合いもある、いいねを押してもらいやすくしたという。②のマナー系動画に関しても、同じく学びとなる知識系の要素があることが大きい。

質問への回答も動画で分かりやすく

③については、それまでもホームページに寄せられた質問に対し、文字と写真を使って回答していたが、手応えのあるやり取りをできていないという課題を抱えていた。その解決策としてTikTokの質問機能を使うことで、より分かりやすい内容の回答をユーザーに提示できるようになったのだ。「例えば、『美女と野獣』のベルが着ているようなドレスはありますか?というお客さんの質問に対し、それに近いドレスの動画をTikTokに投稿したりしています。写真で見るよりもイメージが伝わりやすかったようで反響が大きく、フォロワー数が大きく増加しました」。

④のVlog形式で、ウェディングプランナーの1日を追った動画も人気で、その結果「ベル・カーサで働きたい」というメッセージが多数寄せられている。「働きたいと

TikTokの質問機能を使うことで、動画で分かりやすい回答を提示できるようになった（右）。また、ウェディングプランナーの1日を追ったVlog動画（左）は求人にもつながっているという。

思うほど興味を持ってくだされば、後々、『この会場で式を挙げたい』と思ってもらうことにもつながるのではないかと考えています」。

こうして動画の方向性が定まりフォロワー数が増え始めると、ＴｉｋＴｏｋをきっかけにベル・カーサを訪れる人も現れてきた。ＴｉｋＴｏｋを見た来館者からは、「スタッフ同士の仲の良さやチームワークの良さを感じた」「この会場ならにぎやかで楽しい式ができると思った」という声が聞かれるそうだ。「ＴｉｋＴｏｋに上げている、ウェディングプランナーの１日をまとめた動画を見てくださったお客様から、『本当にああやって床の雑巾掛けをしているんですか？』と言われたこともあります。まずはＴｉｋＴｏｋで興味を持っていただき、最終的に式の成約を決めていただいたケースも少しずつ増えています」と話す。

その過程では、TikTokより前に始めていたインスタグラムとの連携強化も図った。会場でどういった写真が撮れるかを説明した動画やウェディングドレスを着てのおすすめのポーズ、キャンペーンの告知など、より詳しい情報はインスタグラムに上げており、TikTokからの導線作りを意識しているという。

一方、結婚式という一大イベントがまだそこまで現実的なものではない10代後半から20代前半のユーザーもTikTokには多いが、こうした層には将来ベル・カーサを選んでもらうための〝長期戦〟を想定。式場への認知や関心は確実に高まっており、「今は彼氏がいないけど、できたらベル・カーサで結婚したい」「将来はこういう大きな会場で式を挙げたい」といったコメントが若年層から寄せられるようになったそうだ。

更新頻度や投稿時間帯もルール化

TikTokの研究に関しては、フォロワー数が増えた今でも余念がない。TikTokのおすすめフィードに表示されるように、特に配慮しているのは投稿時間だという。「様々な時間帯での投稿を行った結果、平日の14時に投稿すると、数時間後の夕方におすすめフィードに表示されやすい。TikTokのメインユーザーである10代の帰宅時間と重なり、再生回数が伸びるという持論を持つようになりました」。更新頻度は平均週1回。やみくもに投稿数を増やすのではなく、いいね数を稼ぐことでフォロワー数へとつなげる戦略を取っている。

また、TikTokのインサイト（管理画面）から主な流入先も日常的にチェックしたり、以前はいろんな人に刺さることを意識して多数付けていたハッシュタグも、効果の高いものに絞っているそうだ。現在は「#結婚式」と「#ベルヴィグループ」のほか、近隣ユーザーからの反応が増えるというデータが取れている「#福島」というハッシュタグを付けることが多いという。

日々、TikTokの流行を追い続けながら、様々な動画投稿を試すことで、少しずつ独自のスキームを作り上げてきたベル・カーサ。今後は「Vlogを使っての式場内の紹介ツアー」や、ユーザーへの親近感を上げるために従業員が実名で登場する動画などを画策中。さらには、以前袖付きのドレスを紹介したところ、「肌の露出を減らしたい」と感じている利用客を中心にバズったことから、「お客様のドレスのお悩みに答える動画」の準備もしているそうだ。

海外ファンを獲得し、フォロワー380万人超

SPECIAL INTERVIEW

ONE N' ONLY

6人組ボーイズグループのONE N' ONLY は、2020年11月にブラジルのヒットナンバーで踊った動画をTikTokに偶然上げたところ、現地ブラジルで話題に。その後も南米の曲に乗せたダンス動画を投稿し、フォロワー数が1年で340万人も急増。TikTokドリームを実現した彼らに話を聞いた。

2018年にデビューした、6人組ダンス&ボーカルユニットONE N' ONLY（ワンエンオンリー）。スターダストプロモーションが手掛けるアーティスト集団のEBiDANに所属し、先輩グループには超特急やDISH//らを持つ。そんな彼らは、J-POPとK-POPを融合した〝JK-POP〟スタイルを武器に〝唯一無二〟の存在を目指している。

ONE N' ONLYの名を世に広く知らしめたのがTikTokだ。コロナ禍をきっかけに力を入れるようになり、20年7月に上げたNiziUの『Make you happy』のダンス動画で初めて100万再生を突破。21年11月現在のフォロワー数は380万人を超える。この数字は、日本の音楽アーティストの中でNo.1。面白いのは、そのうちブラジルのフォロワー数が約87万人を占めることだ。20年11月に、ブラジルで流行していた楽曲『ヘカイレイ』のダンス動画を投稿したところ、フォロワー数が急増、南米から高い支持を得るようになった。

NAOYA（以下、ナオヤ） TikTokに初投稿したのは18年7月の「全力〇〇」で、流行りに乗っかってみようぐらいの軽い気持ちで始めました。

HAYATO（以下、ハヤト） そこからは不定期でダンス動画などを上げていたんですけど、全くやってない時期もありました。本格的に始めたのは20年にコロナ禍になったことで、ファンの方たちともっと接点を持ちたいと思ったからです。

KENSHIN（以下、ケンシン） 初めてバ

HAYATO

高尾颯斗／Rap&Dancer

たかお・はやと　1999年9月17日生まれ、静岡県出身。趣味はすっぱいものを食べる＆探すこと。リーダーで、楽曲の振り付けも多く担当している。

KENSHIN

上村謙信／Rap&Dancer

かみむら・けんしん　1999年7月8日生まれ、愛知県出身。趣味は大相撲観戦、お笑い番組の鑑賞、サウナ。好きな食べ物はローソンの「からあげクン」。

NAOYA

草川直弥／Rap&Dancer

くさかわ・なおや　1998年4月6日生まれ、東京都出身。趣味はサッカー、古着屋巡り。周囲からは面倒見が良いとよく言われている。

ズったと感じたのは、NiziUさんの『Make you happy』に合わせて縄跳びダンスをした動画。100万再生を超えるヒットになって、「おぉー!」みたいになったよね。

ハヤト　そこからもっとバズらせようという気持ちが強くなりました。そこで、日本の曲だけじゃなく、各国で流行している曲もやってみようと。調べるうちに南米の中でもブラジルのチャートだけは独立していて、ブラジルでしかランクインしていない曲がいくつもあることが分かったんです。

REI（以下、レイ）　そこでたまたま『ヘカイレイ』のダンス動画を投稿してみたところ、ブラジルは反対なので、普段はあり得ない夜中に「いいね」の通知がめちゃくちゃ来て。ポルトガル語でたくさんコメントも来てたんですが、当

TETTA
関 哲汰／Vocal

せき・てった　1997年11月24日生まれ、神奈川県出身。趣味はカラオケ（VIP会員）、美容グッズ集め、サウナ。グループのムードメーカー的存在。

REI
沢村 玲／Vocal

さわむら・れい　1997年1月2日生まれ、静岡県出身。趣味は料理、バスケットボール、車。1度話し出すと止まらないマシンガントークが売り。激辛が得意。

EIKU
山下永玖／Vocal

やました・えいく　1999年12月19日生まれ、山梨県出身。趣味は楽器・音楽、サバイバルゲームなど。グループの中では、小動物と言われることが多い。

時は全く何が書いてあるのか分かりませんでした（笑）。

TETTA（以下、テッタ）　最初は絵文字で判断してましたね。きっとこれはいいことを書いてくれてるんだろうなって。あと、TikTokの翻訳機能もすごく役に立ちました。

EIKU（以下、エイク）　これが1つの正解なんだろうなという手応えがあったので、そこからは、流行った曲があればすぐ取り上げて投稿するようになりましたね。

ナオヤ　ブラジルのダンスって、独特のバイブスやノリがあるので、取り入れて踊るのがだんだん楽しくなっていって。そうすればフォロワーも増えるし、「この曲で踊って」とリクエストもいっぱい来る。それに応えるごとに数字が伸びていきました。

ハヤト　ブラジル人のアーティストと仕事をした日本人の方から聞いた話なんですけど、僕らの話題を振ったら、「知ってるよ。あのＢＴＳじゃないほうでしょ?」と言ってくれてたらしくて(笑)。おこがましい話だとは思うんですけど、現地のアーティストにも知ってもらえてるのはうれしいですね。

ブラジルでの人気を受け、21年5月と9月には、ブラジルのファンに向けたオンラインチャット会も開催。実際に面と向かって会話を交わすなど、その経験から得たものは大きかったようだ。

ケンシン　時差が12時間あるので、朝7時半に事務所に集合して。それでビデオ越しに「Ｏｌａ!」(ポルトガル語で〝こんにちは〟の意)って言う感じでした(笑)。

テッタ　ファンの方のリアクションが日本と違ってめちゃくちゃ大きいんだよね。〝お客さん1人対僕たち6人〟でも全然動じずにノリノリのテンションで(笑)。

ケンシン　逆に俺らのほうが緊張してるくらいだった(笑)。

ハヤト　そこでようやく、ＴｉｋＴｏｋからファンになってくれることがあるんだと実感できました。

レイ　正直チャット会をやるまでは信じられなかったんですよね。たくさんコメントは来てるけど、「本当にブラジルにファンの方いるのかな?」って。でも、実際に顔を見て話して、味わったことのないうれしさを感じました。

ナオヤ　あと驚いたのは、僕たちのミュージックビデオや、僕が出演したドラマを見てファンになってくれた方がいたこと。TikTok以外のきっかけがあったことも知れたのは貴重でしたね。

エイク　あのチャット会を経て、ポルトガル語をもっと勉強しなきゃと。今みんなで習ってるんですけど、なかなか難しくて…(笑)。

レイ　文法によって発音は変わるし、活用もすごくいっぱいある。ただ、少しずつですが、分かってきた部分もあるので、楽しくなってきています。

ハヤト　TikTokのコメントの内容も少しずつ理解できるようになってきたしね。最近はコメントを通して、日本のファンの方たちが、南米のファンの方たちとコミュニケーションを取ってるのも見かけます。僕らをきっかけに、南米に興味を持ってくれてると思うと、うれしいですね。

ツッコミどころを意識

6人それぞれが様々なTikTok動画をチェックし、メンバー同士で共有、毎日投稿を続けることでフォロワー数を着実に伸ばしてきた。そんな彼らだけに、動画の撮影や編集をする上でのこだわりも数多くあるという。

レイ　撮影する際は、1つの画面の中に、仲良く楽しみながらやってる僕たちを収めようという意識は常にありますね。きっとファンの方たちが見たいのはそういう姿だと思うので。

エイク　だから表情って意外と大切なんです。海外の方たちにも、表情は確実に伝わるので、笑顔はもちろんですけど、変顔をするときも全力ですね（笑）。

ケンシン　そういう意味では、変顔のような「ツッコミどころの多い動画にする」のも大事だよね。

ハヤト　確かに、爪痕を残すじゃないですけど、見てくれた方がコメント欄に書きたくなる動画にしようと意識してますね。

ナオヤ　ＴｉｋＴｏｋはコメントが増えていくにつれて、より盛り上がっていったりするんです。例えば、「ナオヤくんの変顔が良かった」ってコメントが付くと、それを見た方がまた同じ動画を見てくれて、さらにコメントをしてくれるみたいな。

ハヤト　編集でいうと、ダンス動画のポイントはあまり加工しないことですかね。ちゃんと踊りを見せたほうがファンの方たちの反応もいい。ＢＴＳさんのダンスを完コピした時は、ＢＴＳさんと同じステッカーを使い、少しきらびやかなサムネにするぐらいでした。

エイク　ＢＴＳじゃないほうとして（笑）、『Ｄｙｎａｍｉｔｅ』や『Ｂｕｔｔｅｒ』を真剣に踊ったよね。

レイ　あと動画のキャプションには、踊っている曲の国の言語でもタイトルを表記したり、国旗も付けてより分かりやすくしています。

『ドラゴンボール』で大失敗

21年11月までに約770本の動画を上げ、100万再生を超える作品を何本も生み出してき

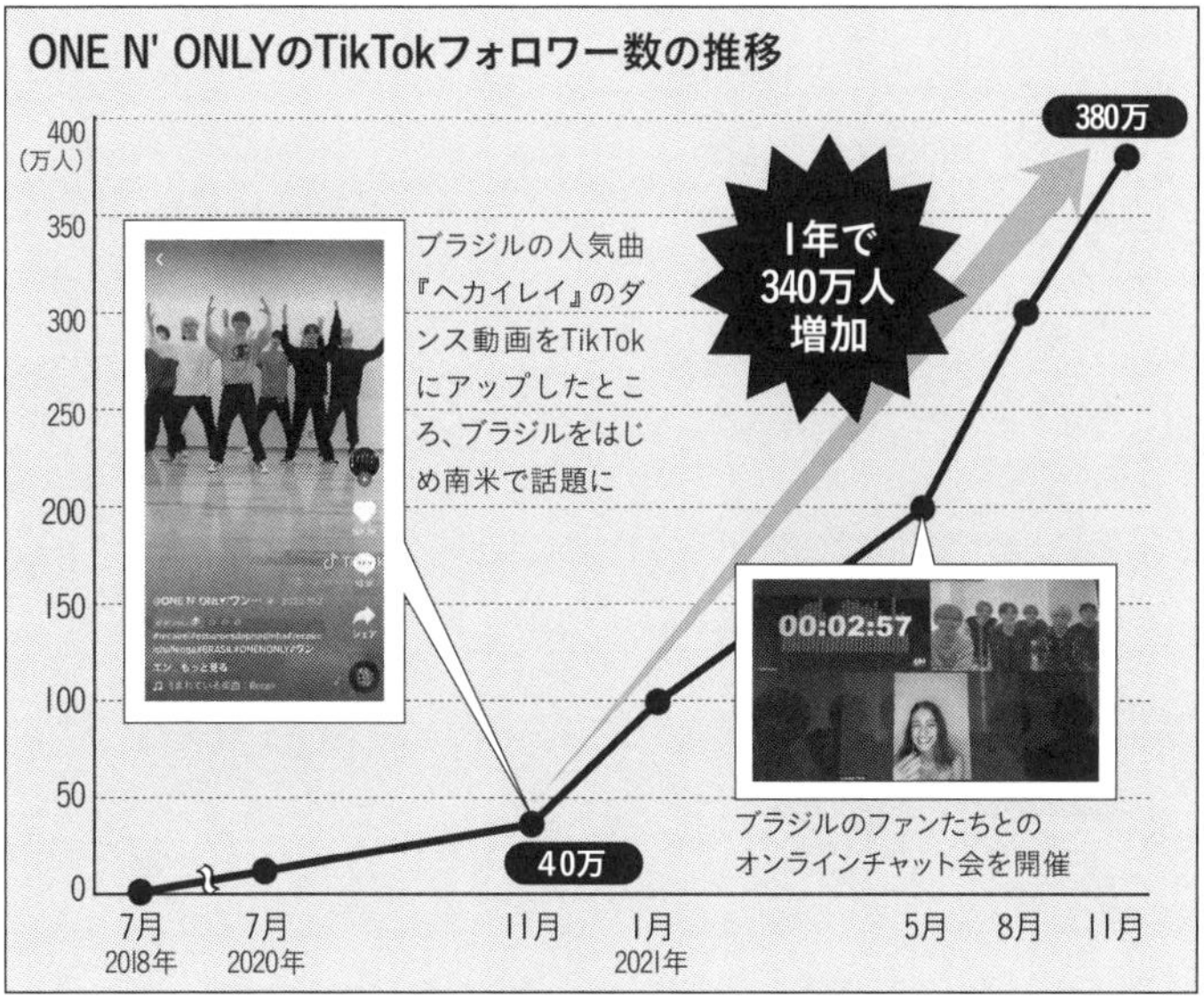

たONE N' ONLYだが、狙ってバズらせることはやはり難しいという。

ハヤト　バズらせようと常に試行錯誤していますけど、意外と、凝るとバズらないのはあるかもしれないですね(笑)。例えば、ブラジルで『ヘカイレイ』がバズった後に、「ブラジルでバズる日本の文化って何だろう?」と、みんなでめちゃめちゃ調べたんです。

エイク　そうそう。そしたらアニメの中でも『ドラゴンボール』がバズってるとの情報を発見して。それでテッタに悟空の全身コスプレをしてもらい、昔流行った「かめはめ波チャレンジ」をやりました。

ハヤト　「俺らがこれをブラジルで大流行させる!」って気持ちで、場所も何カ所かで撮影をして。しかも、ゴリゴリに編集したのに平均よりも全然いかないという…(笑)。

テッタ　あれを撮ったのは真冬で、悟空の衣装は半そでだったから、俺凍えそうになりながら踊ったりしたんだけどね(笑)。

ケンシン　あの敗因はなんだったんだっけ?

ナオヤ　ブラジルだと、TikTokのメインユーザーである若い層には『ドラゴンボール』は、そんなに流行ってなかったんじゃないかって話で。

レイ　かと思ったら、ナオヤが「サクッと撮ろうよ」と言ってやった「楽天ポイントダンス」は360万再生の大バズ動画になったりするしね(笑)。

ハヤト　そう言えば、21年8月に(コロンビア出身の人気シンガー)シャキーラさんの新曲を踊って上げたら、シャキーラさんがその動画をTikTokとインスタグラムのストーリーに「東京の子たちが踊ってくれてる」とアップしてくれたんです。

テッタ　あれはビックリした。シャキーラさんのインスタのフォロワー数って7000万人いるから、僕らのインスタも一気に1000人くらい増えた。

世界の架け橋のような存在に

ナオヤ　僕らはブラジルを筆頭に、南米には強くなってきてる実感はあるので、そこは維持しつつ、今後はもっといろんな国で人気になりたいですね。これまでも人口が多い国を狙って、ロシアやインドネシアなどの曲を上げてバズった作品もあるので。

ケンシン　インドは何回やってもバズらなかったよね…。ファンの方から「インドでは見られないらしいですよ」と教えてもらって、「えっ！」って感じだったけど（笑）。

レイ　でも、ＴｉｋＴｏｋを使って、世界の架け橋のような存在にはなりたいと思いますね。今もやってますが、海外の曲を僕らが日本に紹介したり、逆に日本の曲を海外に発信することは、今後も意識的に取り組んでいきたいです。

ハヤト　ＴｉｋＴｏｋのフォロワー数でいうと、年内に５００万人が目標ですね。

21年9月3日にはラテン調の楽曲『L.O.C.A』を、ブラジルの母国語である、ポルトガル語バージョンで配信リリースするなど、アーティスト活動も世界を意識したものとなってきている。

テッタ　「ブラジルのチャートに僕らの曲を刻みたい」という思いからの挑戦ですね。以前、『Ｌ．Ｏ．Ｃ．Ａ』がラテンテイストの曲ということで、ＴｉｋＴｏｋにサビだけをポルトガル語にして上げたら評判が良くて。フルバージョンを作ってみようとなりました。

ハヤト　ただ、ポルトガル語は言葉数が多い上に、ちょっとずつつながっていたりするので、特にラップが難しかった。しっかり発音を教えてもらい、ポルトガル語圏の人が聴いてもカッコいいものに仕上がっている自信があるので反応が楽しみですね。

ケンシン　やっぱりＴｉｋＴｏｋでブラジルの音源でずっと踊ってたことが生きてるかなと。

徐々にブラジルのグルーヴが備わってきてる気がします(笑)。

世界ツアーはまず南米から

ナオヤ　TikTokを通して視野が広がったことで、今後のアーティストとしての目標も少しずつ変わってきていて。もともとは「武道館や東京ドームでライブをやりたい」だったんですが、世界に羽ばたくグループになりたいという気持ちが今は強いです。

テッタ　みんなでよく話しているのは、コロナが落ち着いたら、ワールドツアーをやって、まずは南米に行きたいねって。

ハヤト　「まずはアジアから」じゃなくて、反対側からね(笑)。

ナオヤ　僕らの曲をプロデュースしてくれてるのは韓国人のJUNEさんという方なんです。日本人のグループがK-POPの良さも取り入れた〝JK-POP〟という新しいジャンルを武器に、今後も勝負していきたいと思ってます。

ワンエンオンリー

スターダストプロモーション所属の6人組のダンス&ボーカルグループ。19年5月リリースの2ndシングル『Dark Knight』、10月リリースの3rdシングル『Category/My Love』は共にオリコン週間チャート1位を記録。20年4月発売の1stアルバム『ON'O』もオリコンデイリーチャートで1位を獲得する。TikTokのフォロワー数は380万人を突破。動画の総再生回数は1億5000万回以上。22年2月に、約2年ぶりとなるミニアルバム『YOUNG BLOOD』のリリースが決定している。

TikTok

PART 3

おすすめ動画でヒットを生むトップクリエイター

視聴者を動かすバズ動画はどう作る？

CASE STUDY
CREATOR
01

映画評論
しんのすけ🎬映画感想

京都府出身。助監督として映画・ドラマ業界に入り、現在は映像作家、専門学校講師を務める。2019年からTikTokへの動画投稿を本格的に開始した。

ＴｉｋＴｏｋレビュー動画のパイオニア映画業界での仕事も増加中

「ＴｉｋＴｏｋで紹介されるとモノが売れる」。そんな〝ＴｉｋＴｏｋ売れ〟の大きな要因となっているのが、ユーザーが商品やサービスを紹介する「レビュー動画」だ。ＴｉｋＴｏｋで様々なレビュー動画を見ていると、ジャンルは違っても動画の構成などが似ているものが多いことに気づく。冒頭はインパクトのあるキャッチコピーから始まり、商品やサービスの説明が続き、最後に感想を述べるという具合だ。このスタイルを作り上げたのは、「しんのすけ🎬映画感想」のアカウント名で活動する齊藤進之介氏だ。

しんのすけ氏がＴｉｋＴｏｋのアカウントを開設したのは２０１９年の夏。当時のＴｉ

kTokは、ダンスやリップシンクなど若年層による投稿動画が多い時期だった。そんななか、19年8月末に投稿したある映画のレビュー動画が大きな反響を呼び、「映画感想クリエイター」として人気を獲得。21年11月現在、約58万人ものフォロワーを擁する。

TikTokへの投稿を始めたきっかけは、「学校の授業」だったという。「僕は専門学校の映像系のクラスで講師を務めているんですが、夏休みに『自分で何か課題を作って挑戦する』という宿題を生徒に出したんですね。『自分もやらないとフェアじゃないないな』と思い、僕も夏休みの間に『TikTokで1回でもバズらせる』ことを課題に決めたんです(笑)」(しんのすけ氏、以下同)。かつて映画の撮影現場で助監督を務め、現在も映像制作に携わるしんのすけ氏。当初はレビューではなく、試行錯誤で映像を作ったが「全然バズらなかった(笑)」と振り返る。

映画の感想を動画にすることを思いついたのは、『ONE PIECE STAMPEDE』(19年公開)を見たことがきっかけだった。「僕は昔から『ONE PIECE』が好きなのですが、『ONE PIECE STAMPEDE』

2019年にアカウント開設。フォロワー数は映画レビュー系ではトップクラスの約59万人。(@deadnosuke)

は面白くなかったんですよ(笑)。いつものようにツイッターに感想を書くかと思ったときに、TikTokで映画の感想を話している人がいないなと初めて気が付いて」。

ものは試しでと、『ONE PIECE STAMPEDE』が面白くないと感じた理由を説明する動画を投稿すると、再生回数が1~2日で数十万回を超える状態に。さらに、しんのすけ氏が驚いたのが、1900以上ものコメントが付いたことだった。コメントの内容はまさに賛否両論。「なんでエラそうにしゃべってるんだ」というコメントが付く一方で、「反論されるのが怖いから、ツイッターなどで面白くないと言えなかった」という、同意のコメントもあった。

「映画の感想さえSNSで言えないって、つらい世の中だなと。また『面白くないという意見をなぜわざわざ言うのか』というコメントもあったのですが、そんな反応があるということはやったほうがいいんだなと思いましたね。そこで、面白い/面白くないという意見を、僕は感じたままに言っていこうと決めました」

誰もが参考にするレビュー動画のスタイルが誕生

TikTokでは現在、最長3分までの動画を投稿できるが、19年当時は1分まで。そ

最初に動画で伝えたいことをキャッチコピーとして伝え（右）、簡単な感想やあらすじなどの詳細を続けて（中央）、〆る（左）。このスタイルは、他ジャンルのレビュー動画にも影響を与えた。

のなかで、どのように伝えたい要素を詰め込んでいくか。そのスタイルは、アカウント開設から2～3カ月で確立したという。大まかに分けると、次の構成が王道のスタイルだ。

①最初の数秒でキャッチコピー
②映画のタイトル
③感想を一言で
④あらすじ
⑤解説や詳しい感想

しんのすけ氏いわく、「TikTokのおすすめフィードは、面白くないと感じたら開始3秒、いや1秒で飛ばされる」という世界。そこで、①キャッチコピーは、YouTubeでいうサムネイルに近い役割を果たす。例えば、

『ドラゴンボール』を紹介する場合には、「七つの玉を探しに行くサルに変身する少年の話」といった文言が入る。③の一言感想も重要だという。例えば、「めっちゃ面白いんですよ」といった感想を述べることで、その動画がどのようなトーンで話が進んでいくかが伝わるからだ。「このスタイルで投稿を始めてから再生回数が伸びたということもありますけど、自分が言いたいことをバランスよく伝えられるのもこの配分だなと。再生回数などの数字だけではない部分も含めて検証しました」。

こうして確立した構成を2年近く続けているため、「正直、飽きているところもあります」と笑うが、彼が生み出したスタイルは、今や映画だけではなく様々なレビュー動画の基本形になっている。

コメント欄が盛り上がることで、映画ファン以外にも届く

自身の感想を包み隠さず伝える投稿を続けたことで、しんのすけ氏の動画は様々なコメントであふれるようになった。例えば、20年に投稿した『劇場版 鬼滅の刃 無限列車編』のレビュー動画のコメント数は3000超え、21年8月に投稿した映画『うみべの女の子』のレビュー動画は約1800など、非常にエンゲージメントが高い。

コメント欄が盛り上がることで、しんのすけ氏の投稿は新たな意味を持つようになった。それは、他の人の感想も知ることができる映画レビューサイトのトピックスのような役割だ。「人の意見をいろいろと知れるから僕の動画を見ているという人もいると思います」。YouTubeなど他のメディアでも映画レビュー動画はあるが、これほどまでコメント欄が盛り上がるケースは多くない。その理由をしんのすけ氏は、TikTokの気軽さにあると分析する。

「YouTubeの映画レビュー動画はちゃんと説明をできるんですよね。その分、動画に対しての意見やコメントも長文になる。それに対して、TikTokではそもそも長文のコメントは書けないんですが、短い1分の動画だからこそ、サクッとコメントもでき、サクっと返信することもできる。コメント欄が活発な理由には、短尺だからこそのコミュニケーションの気軽さがあると思いますね」

コメント欄が盛り上がることは、動画のバズにもつながりやすくなる。エンゲージメントの高い動画は、ユーザーのおすすめフィード

しんのすけ氏は1分より長い動画の制作にも取り組む。「今月おすすめの映画紹介」などに向くと分析する。

に乗りやすくなるからだ。おすすめフィードに乗るということは、しんのすけ氏をフォローする映画好きなユーザー以外にも動画を見てもらうチャンスが増えるということ。これこそが「TikTokで映画レビューをする最大の重要な点」と語る。

「映画が好きな人は『映画ドットコム』や『Filmarks』といった映画専用サイトの存在を知っていて、そこから情報を得ます。ツイイターも映画好きにしか見てもらえない。でもTikTokなら、映画に興味がない層へも簡単に届く。映画って総合芸術ですから、いろいろな人に刺さるフックがあるんですよ。例えば、マンガ原作ならマンガの好きな方、俳優さんなどキャストのファンと、1つのコンテンツで様々なファンを引き寄せられるのが映画の良さだと思います。TikTokはとにかくいろいろな人に自然に刺さるプラットフォームなので、映画というテーマはTikTokに適していると思っています」

ビジネス案件を受ける基準は、「自分が好きかどうか」

TikTokでの評判が話題を呼び、昨今では映画にまつわる様々なプロジェクトにも携わるようになった。そのなかでもしんのすけ氏が力を注ぐのは、「映画業界を盛り上げる取り組み」だ。21年に開催された『TikTok TOHO Film Festival 2021』では、三池崇史監督らとともに審査員を務めている。

「20年1月頃にフォロワーが10万人くらいになったのですが、その時点ではただのいち映画ファンでした。しかし、新型コロナウイルスの影響で映画館が閉まり、映画の製作自体も止まるという厳しい状況となって。僕は昔、映画の現場で助監督もしていたので、なぜ映画業界が大変なのかを発信しようと考えたんです。それ以降、映画業界の皆さんと一緒に盛り上げる取り組みをさせていただいています。映画イベントなどの仕事も増えました。ただ、そうしたビジネスは『好きな作品なら受ける』というスタンスを続けるつもりです。自分でお金を払って見た作品は、『面白かった』『面白くなかった』と変わらずに伝えていこうと決めています」。

CASE STUDY
CREATOR
02

美容
やみちゃん

“得”を与える美容系動画で人気 広告動画にも引っ張りだこ

美容系のTikTokクリエイターとして人気を集める、やみちゃん。2018年から始めたTikTokでは、自身の知識を生かした投稿がバズり、21年11月現在、そのフォロワー数は62万人を突破する。これまでの投稿数は550本を超えており、彼女の動画をきっかけに売り切れが続出した美容アイテムも多数存在する。企業がTikTok内で展開する広告動画にも数多く関わっており、制作時には台本や字コンテまで準備して臨むことから、美容系企業に一目置かれる存在となっている。

スキンケアやメイクのHowTo動画、紹介動画を中心に人気。21年に開催された「#TikTok動画コンテスト」では、美容部門で1位に輝く。

もともと芸能事務所に所属し、舞台に出演するなど女優として活動をしていた、やみちゃん。20代半ばとなった18年、チケットのノルマに苦しむ状況に疑問を持ったことから事務所を退所した。しかし、「有名になりたい」という夢を諦めきれず、同年6月にTikTokを始める。「最初に投稿したのは家族で砂丘に行った時の動画で、フォロワーは0人だったのに、いきなり1日で5万回も再生されました。例えば、YouTubeでフォロワー数が0人だったら全然見てもらえないと思うんですが、TikTokは引きのある内容であれば、フォロワー数に関係なく跳ねることがあるプラットフォームなんだと実感しました」（やみちゃん、以下同）。

いきなり手応えを感じたものの、どんな動画がバズるのかが分かったわけではないため、しばらくは闇雲に様々なジャンルの動画を投稿。そんななか、YouTubeで流行っていたヘアスタイリング動画を投稿したところ、大きな反響があった。「いろんな動画を投稿しても、美容系の動画しかバズらなかったので、そこに絞ることにしました。人気者になるために、とにかく努力してはい上がろうと。人生をやり直す気持ちで動画投稿を続けました」。

フォロワー数は60万人以上。企業SNSアカウントのアドバイザーなども務める（@ayami_yamichan）。

美容系動画を中心に投稿していき、半年で約18万人ものフォロワーを獲得。すると、大手広告会社から、美容系動画を投稿する業務を行うスタッフとして入社しないかと持ちかけられた。入社後は、1日2本の動画を投稿する毎日に。「昔、『めざましテレビ』でやっていた『早耳ムスメのトレンド一番のり！』というコーナーが、とにかく女の子が楽しめる内容で大好きだったんです。そのコーナーのように自分がときめく商品を紹介して、視聴者の方にワクワク感を毎日届けようと思ってやっていました」。結果、フォロワー数はさらに伸びていった。

視聴者の欲している情報を動画に

20年6月に広告会社を退社し、独り立ちするべく、今の事務所に所属。基本的に投稿するのは、美容系アイテムの魅力を伝える動画に一本化し、現マネジャーと共に、「美容系ＴｉｋＴｏｋクリエイター・やみちゃん」としてのポジションを確立していった。

彼女の作る動画は、多くの点で他の美容系ＴｉｋＴｏｋクリエイターとの差別化に成功している。まず、美容の知識と経験が豊富であるのはもちろんのこと、動画を作る際には、楽天やＡｍａｚｏｎといったサイトで該当商品を検索し、ユーザーの口コミをチェック。視聴者が知りたがっていることを徹底的にリサーチした上で、それに答える情報なども取り入れていく。また、一般的にインフルエンサーは近寄りがたいイメージを持たれがちだが、美容に興味のない視聴者にも楽しんでもらえるよう、動画の構成や話し方を〝崩すこと〟によって、親しみやすさを感じるものに。さらに、美容系アイテムは専門的な用語や話も出がちだが、「こんなこと言われても分からないですよね」と自らツッコミを入れながら、中高生でも分かるよう丁寧に説明している。

これまでに550本以上の動画を投稿するなかで、バズりやすい傾向もいくつか見えてきた。「以前はTikTokなんだからと、音楽や動きなどを意識していました。ただ、自分の言葉でしっかりと説明したり、アフレコで声を入れると再生回数が伸びたので、しゃべりの要素も今はかなり重要だと感じています。それに加えて、人間らしさみたいなものが伝わる内容にも反響がありますね。毎回毎回キッチリした動画だと見ているほうも疲れるのか、時にはBGMも付けずラフな話し方にしたり、変な間が出来てしまってもあえてそのまま残すこともあります。あとは、大きめのリアクションですね(笑)」。

もちろん、商品自体に魅力があることはやはり重要で、最近ではどういった商品がバズるかも分かるようになってきたという。「例えば、皆さんがよく知っているブランドに『こんなアイテムがあったよ』みたいな動画は、再生回数が伸びる傾向にありますね。

無印良品の「アイカラー」を紹介した動画は、1カ月で600万回再生を記録。動画の中では、「目尻だけにラインを入れたげてもかわいい」（左）など、彼女ならではの美容テクニックも披露している。

２１年９月に無印良品のアイカラーを紹介した動画は１カ月くらいで６００万再生を突破して、いろんな店舗で売り切れが続出したと聞きました」。

美容系ＴｉｋＴｏｋクリエイターとしての地位を確立し、フォロワー数も増加の一途をたどるなかで、企業からの広告動画の依頼も多く舞い込むようになり、これまでに50件以上をこなす。「お金をいただいているので、よりちゃんとしなきゃという思いは強くなりました。『やみちゃんさんの動画で商品が売れました』と言われるとやっぱりうれしいですし。〝ＳＮＳ界のジャパネットたかた〟を目指そうという気持ちで今は頑張っています」。

企業とのタイアップ動画を作る際には、事前準備を徹底的に行うのが、やみちゃんスタイルだ。商品だけでなく、クライアントや創業者の歴史まで調べた上で、様々な情報を入れ込んだ台本を自ら制作。さらに動画の完成形もイメージしてもらえるように〝字コンテ〟まで作って、クライアント側に提出するという。「台本はセリフはもちろんのこと、どんなテロップを入れるか、動画内でどんな動きをするかまで事細かく書き込んだものを作っています。字コンテに関しては、『さすがにここまではみんなできないだろう』という気持ちで書いていますね（笑）」。美容系企業の間でも、字コンテまで作れるＴｉｋＴｏｋクリエイターがいると話題になっているそうで、「やみちゃんを中心に広告展開をしたい」という依頼も多いそうだ。

商品の説得力を増やすため動画内で実験も

企業案件で作成した動画で話題となったのが、21年7月に投稿した「サロニア」の「イオンフェイシャルブラシ（電動洗顔ブラシ）」。卵黄に当てても割れないくらい摩擦が少ないというのがセールスポイントだったため、動画では実際に実験した映像も差し込んだ。「実験系の動画は説得力が増すので再生回数が伸びやすいんです。また、卵黄の実験映像に関しては、あえて冒頭に持ってくることで『なんだこれ？』と視聴者の興味を

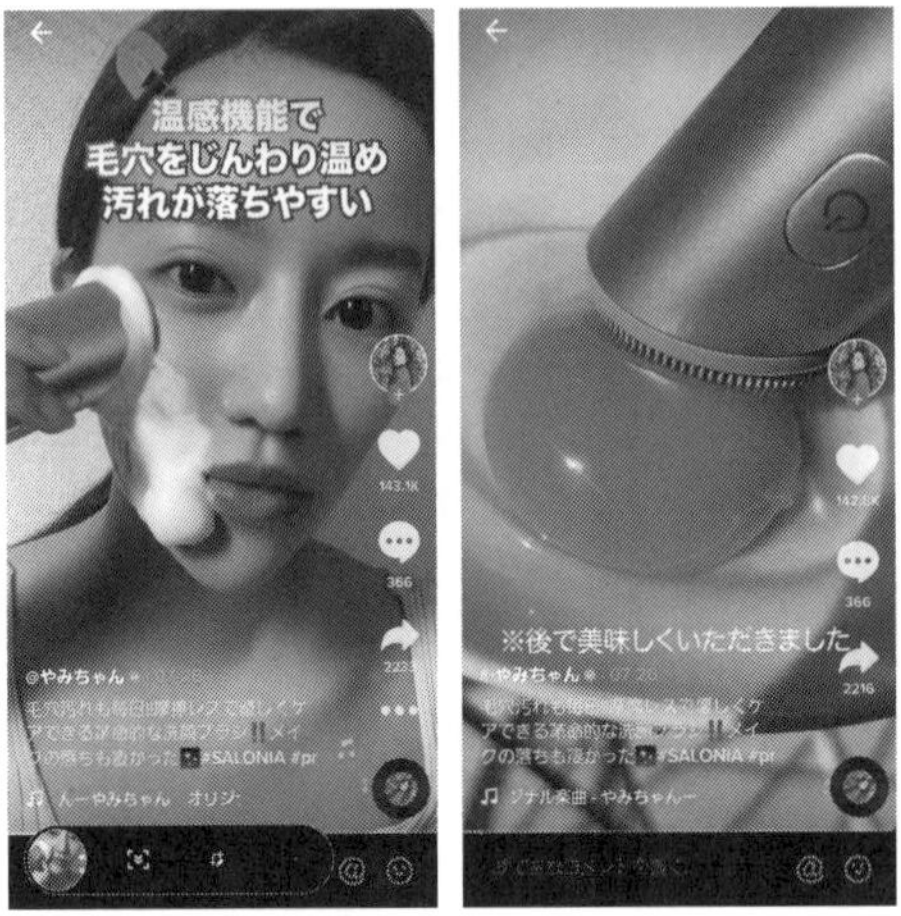

企業からの広告動画の依頼も多い。「サロニア」の「イオンフェイシャルブラシ（電動洗顔ブラシ）」の動画では、卵黄を使った実験をしたり（右）、温感機能などの効能も分かりやすく説明している（左）。

引く構成にしました。TikTokは見始めてから3秒以内に面白さを伝えることが大事なので」。この動画は200万再生を記録しており、売り上げにも大きく貢献した。

自身の経験と知見を踏まえて、クライアントに提案ができるのも彼女の強みだ。例えば、商品に関して「この情報を全部入れてください」との要望が来た際も、冷静に判断した上で、「この要素は入れないほうが再生回数は伸びると思います」と進言することもあるという。「情報が多いと動画が長くなってしまい、TikTok上でのニーズが低くなってしまうことがあるんです。できるだけたくさんの人が得をする動画にするよう心掛けているので、企業側、視聴者側、どちらにも寄りすぎない、うまくバランスが取れたものを作ることを常に意識しています」。

美容アイテムの開発やフェムテックにも興味

自発的に投稿する動画も企業案件の動画も、基本的に向き合うスタンスを変えずにやってきたことが、62万人というフォロワー数につながっている、やみちゃん。将来的には、これまで培ってきた経験と知識をもとに、美容アイテムの開発を手掛けるというビジョンも持っている。「使って納得してもらえるアイテムを作るのはもちろんなんですが、手に取りたくなるようなパッケージや、見た目が美しいデザインにもこだわりたいですね。これまでいろんな動画を作ってきて、映えることがバズることにつながる例を数多く見てきたので」。また、近年注目度が上がっている、女性の抱える身体の悩みをテクノロジーで解決するフェムテック系への参入も考えているという。今後も活躍する場面はさらに増えていきそうだ。

CASE STUDY
CREATOR
03

書評
けんご小説紹介

小説紹介動画で重版を連発する〝TikTok売れ〟の先駆者

レビュー動画で紹介された作品のベストセラー化が相次ぎ、現在の〝TikTok売れ〟の象徴的なジャンルとなっている小説。そのなかでも、特に大きな影響力を持つ小説紹介動画の第一人者が、26万人のフォロワー数を抱えるけんご氏だ。

熱のこもったトークから繰り出す、続きが気になる絶妙なあらすじ紹介がうけ、20年11月に紹介した『冬に咲く花のように生きたあなた』（こがらし輪音・著）は動画の投稿直後に重版が決定。21年7月に取り上げた『残像に口紅を』（筒井康隆・著）は30年以上前の作品にもかかわらず、4カ月で約11万5000部が増刷された。今や出版業界からも一目置かれる存在だ。

大学生だった2020年にTikTokのアカウントを開設し、小説紹介をスタート（@kengo_book）。自身も作家デビューに向け執筆中。

小説に興味のない人に届けるために

けんご氏は、大学時代にミステリー小説をきっかけに小説にハマるも、周りにはその面白さを語り合える友人がいなかったという。そこで、「もっと多くの人に小説の魅力を知ってもらいたい」と、動画を使って書籍を紹介しようと思いついた。ターゲットは読書好きではなく、小説に興味のない人。最初は、既に書籍紹介というジャンルが確立していたYouTubeの利用を考えたというが、検索がメインとなるプラットフォームのため、小説に興味のない人には届かないと考え、TikTokを選んだそうだ。

表紙が与えるインパクトが重要と考えているだけあり、サムネイルやタイトルにも工夫をしている。

「TikTokの特徴は多くの人がおすすめフィードを見ており、そこに動画が次々と流れてくること。小説を読んだことがない人、食わず嫌いの人にまで届けられる可能性が高いという点で、僕のやりたいことにぴったりだと思いました」（けんご氏、以下同）

アカウントを開設したのは20年11月。1本目の動画で紹介したのは、元乃木坂46・高山一実の著作『トラペジウム』だった。同作を選んだ理由について、「中高生ユーザーが多いＴｉｋＴｏｋでは、表紙がきれいな作品を紹介するほうが目に留まりやすく、反響があるんじゃないかと。そして高山さんを好きな方はたくさんいらっしゃるので、１本目の動画はその力も借りようと思いました」と明かす。戦略は見後にハマり、想像していた以上の反響があったそうだ。

重版で実感したＴｉｋＴｏｋの拡散力

その後も、「表紙の美しさ」「読みやすさ」を重視し、スターツ出版やメディアワークス文庫発刊のライトノベルを中心に紹介していった。実は、けんご氏はそれまでライトノベルを読んだことがなかったそうだが、紹介に当たって読んでみると面白く、これなら小説を読まない人も興味を持つのではないかと思ったという。

そして４本目の動画で、メディアワークス文庫の『冬に咲く花のように生きたあなた』を紹介すると、まもなく重版が決定。当時の同社公式ツイッターには、「ＴｉｋＴｏｋで大反響、問い合わせ急増につき緊急重版」と、けんご氏の紹介動画が火付け役となったことが記されている。「僕のところにも、著者のこがらしさんから、『ＴｉｋＴｏｋの投

当初の紹介動画は『冬に咲く花のように生きたあなた』（右）といったライトノベルが多かった。しかし、21年からは『残像に口紅を』（左）のような実験的小説など、ジャンルの幅も多彩に。

稿が重版のきっかけになりました』と直接連絡がありました。改めて、TikTokの拡散力、そして動画が実際に購買につながっていると実感した瞬間でした」。

21年に入ると「うまく紹介することができれば、ジャンルを問わず反響はある」と手応えを感じ、ライトノベルだけでなく、自分が好きな作品も取り上げるようになっていく。7月には、30年以上前に発刊された『残像に口紅を』を紹介したところ、その後の累計だけで11万5000部の重版（21年11月現在）となり、再ヒットの立役者に。著者の筒井康隆も、重版決定にあたってのインタビューで、「これが面白い！と影響力のある人が言えば、みんなアマゾンで買って読む」と、暗にけんご氏の影響力について語っている。

では、なぜ人々はけんご氏の動画を見て、実際に小説を手に取るのか。動画がバズる最大のポイントは、絶妙にあらすじを明かす綿密な〝脚本作り〟にある。動画制作は約1時間程度で終わるものの、脚本作りには早くて30分～1時間、時には日を改めて計2時間ほど掛けるそうだ。

例えば、『残像に口紅を』を紹介した動画では、あえて謎を残すことを意識した。「本作には大きく2つの特徴があるのですが、そのうちの1つを伏せました。話してもネタバレにはなりませんが、とにかく実際に読んでほしかった。どうすれば〝読む〟という行動までつながるかを考えた時に、謎を残しておくのが良いのではないかと。その戦略がうまくハマったと思います」。

対面よりも5倍ぐらい大げさに話す

短尺動画とはいえ、つまらなければすぐにスワイプされてしまうのがＴｉｋＴｏｋ。冒頭の興味付けは最も重視する点だという。けんご氏は、「あと10年しか生きられないとしたら何をしますか?」といった投げ掛けや、「絶対に誰もいない場所で読んでください!」といったインパクトのある文言を冒頭に持ってくるようにしているそうだ。

『余命10年』の動画では、冒頭で「あと10年しか生きられないとしたら何をしますか？」と問い掛け、興味を引くことに成功（右）。「読書感想にピッタリな作品3冊」などのまとめ紹介も人気（左）。

そして、最後まで見てもらうために大切にしているのは、動画の雰囲気作り。ホラー小説を紹介する際には画面全体の色調を落として暗いムードを演出したり、テキストのフォントに関しても小説のジャンルごとに変えている。さらに、けんご氏の畳みかけるようなトークも、ユーザーを引き付ける戦略の1つだ。「話し方や表情、動きはかなり意識しますね。画面上では相当オーバーリアクションをしないと伝わらない。対面で話すときの5倍ぐらい、大げさに話すようにしています」。

また、動画のコメント欄は、貴重な「口コミの場」であり、「コミュニケーションの場」にもなっている。紹介した作品に対する熱い感想はもちろん、購入を後押しするようなコメントも珍しくないそうだ。夏休み前に「読書感想にピッタリな作品を3冊紹介」という動画を投稿した際には、ユーザーからの「○○もお薦めですよ」といったコメントが飛び交って大いに盛り上がった。

「『紹介をきっかけに初めて小説を読んでハマりました』といったコメントをいただくと、当初の目的を果たせているという気持ちになれるのでうれしいですね。先日は、『小説を読んだことがなかったのに、今や将来の夢は小説家です』なんて方もいました。僕自身も、ユーザーの皆さんからの紹介で新たな本と出合うことも多いです」

TikTokではお金をもらわない理由

出版社から献本される機会も増えているが、TikTok上でのPR活動はしないと決めているそうだ。「TikTokの活動はあくまでも好きでやっていることなので、自分が本当に良い、面白いと思った作品しか紹介しません。作品の魅力を、僕の本当の言葉で伝えたいので、お金をいただいてのPRは今後も一切やらないと決めています。ただ、出版社や書店との関わりが増えるなかで、書店で流す販促DVDの撮影や帯での書籍紹介といった、TikTok以外での本に関する仕事ではお金をいただいています」。

出版業界との接点が増えるなかで、けんご氏の動画にも変化が表れている。最近は、面白いと思った作品はなるべく早く、新作のうちに紹介することを意識するようになった。新刊の初動の重要性について知ったことが理由だという。「人気作家の新作ですら、読書好き以外は出版したことを知る機会がほぼありません。また、知ったところで新作の単行本は安価ではないため、お薦めという後押しがなければ購入しにくい背景もあります。良い作品が生まれても、知られないまま埋もれていくのはもったいない。この現状を打破する一助になればと」。

また、過去に紹介した作品のメディア展開が決定した際には、改めて紹介することも心掛けている。「若者は読書離れしているわけではなく、本と出合う機会がないだけ。特に映画化は、原作に興味を持って手に取ってもらう大きなきっかけだと思います」。

小説紹介のトップランナーとして活動するけんご氏も、今のＴｉｋＴｏｋの広がりには目を見張るものがあるようだ。「ＴｉｋＴｏｋは、急激な成長を続けているなと僕自身も感じています。ＴｉｋＴｏｋから流行る小説、化粧品、お菓子など、次々と品切れになる現象が起きていて、１つの文化を作るプラットフォームになりつつある。そのなかで僕は小説紹介というジャンルで長く活動を続けたいということが１番ですね。僕の紹介をきっかけに１冊でも多くの本を手に取ってもらえるといいなと思っています」。

INTERVIEW

独自性を動画に落とし込めるクリエイターが人気をつかむ

TikTok Japan,
Creator Partnership, Manager
小倉文

今も「TikTokはダンス、リップシンクが人気の場」と感じている人は少なくないだろう。だが、昨今TikTokで人気を集めるクリエイターは、ダンスはもちろん、教育系やレビュー、さらには海外で人気を集める人物まで実に多様な顔ぶれがそろっている。日々、クリエイターとコミュニケーションを図り、サポートに取り組むクリエイターパートナーシップの小倉文氏に、TikTokで特に人気を集めるクリエイターの傾向、そして具体的なサポート体制について聞いた。

例えば、フォロワーが100万人、200万人を超えているトップ層のクリエイターさんに共通するのは、表現方法がオリジナリティーあふれるものであったり、自分に合ったものを動画に落とし込んでいる人物であるという点です。トレンドをつかんで取り入れていけば、フォロワー数が30万〜50万人くらいまで伸びていくことは実際にあります。ですが、そこから先に伸びていくのは、やはりその人が持っているオリジナリティーをどこまで出せるかというところが鍵なのかなと見ています。

トップ層のなかでも、フォロワー数が５００万人を超えるようなクラスになると、海外でも人気を博しているクリエイターが多いですね。フォロワー数が約４０００万人の「Ｊｕｎｙａ／じゅんや」さんや料理系クリエイターの「バヤシ🥑Ｂａｙａｓｈｉ」さん（フォロワー数１２６０万人）などのように、言葉がなくても世界中の誰もが楽しめる「ノンバーバル」なコンテンツを出している人が、国内だけでなく海外にもリーチし、それによってフォロワーを稼いでいます。

ノンバーバル以外で特にこの1〜2年で急成長を見せているのは、教育系やレビュー系など日々の生活で役立つ、有用性のあるコンテンツだという。

ＴｉｋＴｏｋはネタ系やダンス系動画を見るプラットフォームと思われがちなのですが、

英語をコント風に教える3人組クリエイター「Ｋｅｖｉｎ's Ｅｎｇｌｉｓｈ Ｒｏｏｍ」さん（フォロワー120万人）のように、教養を得られるような動画を出すクリエイターさんも増えています。彼らが人気を集める理由は、インタレスティングな面白さとファニーな面白さの両方を兼ね備えている点だと見ています。インタレスティングな面白さの動画もＴｉｋＴｏｋにはたくさんあるのですが、やはりエンタテインメントを求める人が多いプラットフォームですので、それだけではフォロワー数は伸びにくいのかなと。ユーザーが求めている部分と、ユーザーに伝えたい部分がうまくマッチして人気を集めているのが、Ｋｅｖｉｎ's Ｅｎｇｌｉｓｈ Ｒｏｏｍですね。

映画レビュークリエイターのしんのすけさん（しんのすけ🎬映画感想／198P参照）はずっとやり取りをさせていただいていて、私が言うのもおこがましいのですが、とても緻密に考えて行動に移されている方だと思います。ＴｉｋＴｏｋでは、戦略を立てて動画を出していくことはもちろん重要なんですけれど、とにかく打席に立ってトライアンドエラーを繰り返せるかということも重要だと思います。それをとても高いレベルで両立できているのがしんのすけさんなのかなと。

現在のスタイルを見つけるまでにいろいろなことを繰り返し、その結果、1分未満の映画紹介という今までにないスタイルを確立しました。そして、しっかりと人気を獲得したのが、彼のすごいところだと思います。例えば、感想を言う前にあらすじを長めにお話しされていた動画もあるのですが、そうすると、視聴を完了せずに途中で離脱する人が出てしまう。そして、なかなか動画再生が伸びないという時期もあったんです。そこから、試行錯誤して今の手法を生み出されたわけなので。

ＴｉｋＴｏｋでフォロワーを擁するメリット

ＴｉｋＴｏｋは、フォロワー数がゼロであったとしても投稿した動画が面白ければ拡散する、独自のレコメンドシステムを最大の特徴の一つとして掲げる。では、そんなＴｉｋＴｏｋにおいて多くのフォロワーを擁することは、クリエイターにとってどのようなメリットがあるのだろうか。

フォロワー数は世間に対して出せる、目に見える指標ですね。ＴｉｋＴｏｋでは、投稿した動画の再生回数が伸びるかどうかはコンテンツの出来次第ですので、フォロワーが多かろうが少なかろうが関係はないんです。でも、例えばメディアに取り上げられるときにはフォロワー数が１００人というより、１００万人のほうが伝わりやすい。

もう1つフォロワー数が関係あるとすれば、インフルエンサーが参加する広告案件でしょうか。他のプラットフォームには「フォロワー経済圏」のシステムで回っているものもあるので、出演料がフォロワー数で決まることもあります。現状はフォロワーが多ければ多いほど単価が上がっていくので、フォロワーをつかむことはそれだけクリエイターにとって自分の価値になります。

一方で、人気のTikTokクリエイターさんの一部には、広告案件投稿の料金設定を再生回数に変え始めた方もいます。広告に起用されるようなクリエイターなので、フォロワー数が少ないわけではないんですけれど、TikTokは他のプラットフォームとはインプレッションの考え方が違うからこそ、再生回数に応じた設定にしたいということのようですね。

YouTuberのTikTok参入も続々

2021年10月24日、TikTokで国内最多のフォロワーを持つ「Junya/じゅんや」が、YouTubeのチャンネル登録者数でも国内単独トップ（登録者数1050万人）となり、TikTokとYouTubeの国内二冠を達成した。じゅんやは、20年9

月にYouTubeを開設しており、わずか1年強での快挙達成だ。このように、TikTokと他のメディアを併用するクリエイターも増加している。

TikTokで好きになってもらい、長編を見てもらうためにYouTubeへ移行するという利用は、それこそじゅんやさんを筆頭に枚挙にいとまがないくらいにありますね。逆に、最近はいわゆるYouTuberのトップ層のTikTok参入が相次いでいます。例えば、Repezen Foxx（レペゼンフォックス）のDJ社長さんは、レペゼンフォックスのグループアカウントだけでは出し切れないからと、個人のTikTokアカウントも作って運用されています。やっぱりTikTokの影響力を、他のプラットフォームで活躍されている方々も感じ取られているのではないでしょうか。TikTok参入の狙いとしては、新規ファンの獲得が大きいのだと思います。

これまでは、YouTubeの横型動画の切り出しをそのままTikTokに出しているケースが多かったんですけども、レペゼンフォックスさんや、すしらーめんりくさん、ヒカルさんなど、徐々にタテ型ショート動画を配信するようになってきていますね。プラットフォームによって合う動画は必ず違うので、同じ動画をA、A'…というように展開するよりは、制作する動画の数が増えて大変だとは思うのですがA、B、C、Dときちんと変えることが重要なのかなと思います。

「TikTokでよかった」と思ってもらうために

小倉氏が所属する「クリエイターパートナーシップ」では、日々クリエイターとコミュニケーションをとり、サポートを続けている。TikTokに動画を投稿するクリエイターが増加する今、どのような方針でクリエイターと向き合っているのだろうか。

クリエイターパートナーシップでは、人気の出てきたクリエイターさんと直接リレーションを取りながら、サポートをしています。ですが、リレーションを持つクリエイターさんたちの数をどんどん増やしていこうという方針ではありません。それよりも、スターとなるクリエイターさんを作るためにはどのような戦略を取ればいいのかを考えています。

何より大切だと思うのが、クリエイターのコミュニティ感を作っていくこと。「TikTokから出てきたクリエイターだよね」と胸を張って言ってもらえるような環境を作っていくという方向性にシフトしたいというのが、22年にかけて私たちが取り組んでいきたいと考えているところです。だからこそ、クリエイターのエコシステムがしっかりと出来あがって、循環していくのが最も大事なことだと思います。

その循環を生むために、月に1回、トップクリエイターを講師に招いたセミナーを開催しており、ご好評をいただいています。また、21年10月には、TikTokに特化した企画や制作のノウハウ提供や資金面での支援などを通じて、クリエイター育成およびクリエイターコミュニティのさらなる強化を図る「TikTok Japan Creator Academy」という日本独自の取り組みも始めました。現在は人数限定で開催しているパイロット版の取り組みではあるのですが、参加者の皆さんからは「新しいクリエイティブのヒントになった」などのポジティブな感想を多数いただいています。

このほかの施策では、タレントとクリエイターをつないで、タレントのコンテンツを作るという取り組みも行っています。芸能人の方はTikTokを知り尽くしているクリエイターと組むことで参入しやすくなりますし、クリエイターにとっては一流の芸能人の方々と何か一緒にお仕事をできることは、それだけでも大きな価値になります。

こうしたことも含めて、TikTokクリエイターの「コミュニティ感」を高めたり、「TikTokをやっていてよかったな」と思っていただけるような施策をどんどん打っていきたいと思っています。

INTERVIEW

ＨＩＫＡＫＩＮを育てたプロフェッショナル
今、必要なのは「圧倒的なスター」

ＴｉｋＴｏｋ Ｊａｐａｎ，
Ｈｅａｄ ｏｆ Ｏｐｅｒａｔｉｏｎ
佐藤友浩

動画プラットフォームにおいて、トレンドを作っていく主人公は動画を投稿するユーザーだ。新しいコンテンツを生み出していくことから、ＴｉｋＴｏｋでは投稿者を「クリエイター」と呼び、サポートに取り組んでいる。２０２１年９月には、ＹｏｕＴｕｂｅの立ち上げから参加してＨＩＫＡＫＩＮなどのトップＹｏｕＴｕｂｅｒの育成に携わってきた佐藤友浩氏が、ＴｉｋＴｏｋ日本運営責任者として参画。新たなスターを発掘すべく、取り組みを強化しているという。

私はＧｏｏｇｌｅでＹｏｕＴｕｂｅの立ち上げからグロース、特に個人クリエイターの発掘・プロデュースやコンテンツ開発をリードしてきました。その後、ブレイカーというコンテンツスタートアップで3年間ほどCCOを務め、そして17LIVEというライブ配信アプリを提供している会社ではCCOという立場でプラットフォームの日本でのサービスローンチからグロースまで行ってきました。これらの企業では一貫して、UGCコンテンツやクリエイターの価値を上げて多くのファンを獲得し、コンテンツブランドやIPとしていかに世の中の人に知ってもらうかということに取り組んできました。

「ゲームチェンジ」が起きようとしている

外から見ていた当時のTikTokの印象は、プラットフォームとしてすごい勢いで成長しているということ。そして、モバイルに特化した縦長のショートムービープラットフォームのなかでクリエイターのみなさんが試行錯誤しているのが伝わってきて、そのカオス感といいますか、これから何かが生まれそうだという雰囲気が魅力的に映りました。

今のTikTokは、2009~10年くらいのYouTubeに近いのかなと感じてます。みんなが、「どうやらビジネスになっているらしい」と認識し始めた状況。そして、企業のマーケッターの方からすると、そこことどうやってうまく協業していくべきか、その正解をみんなが探している時期なのかなと。YouTubeのローンチ当初は、企業さんに広告やタイアップの話をしても「いったい何を言っているんですか」という雰囲気だったんです。でも、世の中の目と人がプラットフォームに流れ込むようになり、ビジネス環境も一気にゲームチェンジしたのを、目の当たりにしました。まさにTikTokでも同じようなことが起きるんじゃないかと。そして、むしろそれを起こす側でいたいなと思っています。

クリエイターの育成・支援に着手

これまでの経験を生かし、佐藤氏は特にTikTokクリエイターの育成支援、マネタイズなどに注力するという。その取り組みの第1弾として、21年10月から「TikTok Japan Creator Academy」をスタートさせた。これはTikTokに特化した企画や制作のノウハウ提供や資金面での支援などを通じて、クリエイター育成およびクリエイターコミュニティのさらなる強化を図る日本独自のプログラムだ。

TikTokではHead of Operationとして日本の運営責任者を任せられています。力を入れているのはTikTokクリエイターのエコシステムの強化です。21年

10月からスタートさせた「TikTok Japan Creator Academy」は、クリエイターさんの育成と支援を目的にしています。

大きく3つの狙いがあって、1つ目は、TikTokのミッションが「Inspire Creativity and Bring Joy（創造性を刺激し、喜びをもたらす）」であるように、クリエイターさんをどんどん刺激＝「インスパイア」していくこと。具体的にはTikTokならではの動画の制作やツール、また成功した動画の紹介といったプログラムを通じて、クリエイターさんが成長するきっかけを作りたい。2つ目は「コミュニティ・ビルディング」。TikTokクリエイターさん同士の横のつながり、コミュニティを強化していきたいと思っています。そして、3つ目は「マネタイゼーション」。クリエイターさんへの支援金を準備していて、今回のアカデミーでは参加する約100組のクリエイターさんに、集中して動画制作に取り組んでいただくために、3カ月間で総額約3000万円を分配します。

クリエイターは創意工夫で独自のコンテンツを発信していくものだ。なぜ運営として制作方法などを伝える必要性があるのか。さらには、クリエイター同士はライバルともいえる関係とも思える。なぜ彼らの横のつながりが必要になるのだろうか。

クリエイターさんにリサーチすると、まず多くの方がつまずくポイントとして「TikTokならではの動画企画制作って何？」ということが挙がるんです。そのウイークポイントに対してプログラムを提供しているという形ですね。特に、TikTokはモバイルで動画制作が完結させられるので、モバイルだけで魅力的な編集をするために必要なことも伝えています。

そしてコミュニティ・ビルディングは、実はプラットフォームにおいて非常に大事なことでして。YouTubeでも、「CtoC」＝「クリエイターとクリエイター」というコンセプトで取り組んでいたんですけれども、確かに「お互いライバルなんだから、ノウハウを教えたくないんじゃないか」という疑問の声もありました。でも、実はトップクリエイターであればあるほど、教えることが大事だと認識しているんですね。それは長期的に考えれば、TikTokのコミュニティを拡大していくこと、マーケットを拡大し、市場を作っていくことが自分にとっても大事なことだからです。

理想的なのは、コミュニティとしてお互いに教えあう土壌ができること。「TikTok Japan Creator Academy」のプログラムでも、TikTokの運営が一方的に話をするのではなく、毎回、有名なトップクリエイターさんを呼んで、その方の思考方法や普段どんなことを考えて動画を制作しているのかという生の声を届けてもらうことが、参加者から好評を得ているポイントだったりします。

クリエイターのモチベーション向上のために

金銭的な充実は、クリエイターにとって大きなモチベーションの1つになる。例えばYouTubeであれば、動画の再生回数に応じて広告収入が入る仕組みが有名だが、TikTokには現在はそのような仕組みはない。金銭面でのモチベーションを上げるためにどのような仕組みを考えているのだろうか。

クリエイターのエコシステム全体を考えた時に、金銭的なモチベーションも重要なピースの1つだと認識しています。現在はTikTok LIVEの「TikTok LIVE Gifting」であったり、チケット制の限定LIVE「TikTok Gated LIVE」などいろいろな可能性を探っているところですが、それに限らず、マネタイゼーションの仕組み作りには今後もさらに積極的にトライしていく予定です。

企業がクリエイターを起用するタイアップのような機会も、さらに増やしていきたいですね。YouTuberやインスタグラマーといったワードが浸透しているように、企業の側にもクリエイターを起用したPRのメリットや効果に関しては、かなり理解が進んでいるのではないかと思います。TikTokでは、「TCM」（TikTok Creator Marketplace）というスポンサーとクリエイターのマッチングプラットフォームを提供していて、スポンサーのニーズに対して協働するのに最適なクリエイターさんを選出できるようになっています。

TikTokに圧倒的なスターを誕生させたい

クリエイターを発掘する場合、より多くの人に投稿を促すような、裾野を広げる方法も考えられる。だが、佐藤氏が取り組む「TikTok Japan Creator Academy」は、今いるクリエイターの底上げを図る方法だ。

今、最大のプライオリティは圧倒的なスター、そしてヒットコンテンツを出していくことです。圧倒的なスターが出てくれれば、おのずとその人に憧れてTikTokを始めるクリエイターが増え、裾野は広がるからです。その循環をどう作っていくかが大事だと思っています。TikTokはプラットフォームで、コンテンツはクリエイターさんが作るものですから、運営側としてはＴｉｋＴｏｋならではのバズるコンテンツ、ヒットコンテンツを作れるように刺激し続けることが重要です。そのまず第１歩が「ＴｉｋＴｏｋ Ｊａｐａｎ Ｃｒｅａｔｏｒ Ａｃａｄｅｍｙ」と捉えていただければと思います。クリエイターさん自ら成長できるプログラムや仕組みに、どんなクリエイターさんでもアクセスできるようにすることで、誰もがスターになる、コンテンツをヒットさせることができるようになる確度を上げていきたいです。

ＹｏｕＴｕｂｅでの最も大きなゲームチェンジは、やはりＨＩＫＡＫＩＮがＹｏｕＴｕｂｅを知らないような人にも知られる存在になったことだと思うんです。ＹｏｕＴｕｂｅにそのような世界があって、誰でも始めればチャンスがあるんだと知らしめた。

動画プラットフォームでは誰も想像もしないコンテンツやクリエイターが出てきて一気に世界を席巻する。そんな様子を目の当たりにしてきたし、そこが醍醐味だなと感じていますね。ＴｉｋＴｏｋは非常に伸びしろがあるし、ショート動画というフォーマットのなかでまったく新しいスターだったり、ヒットコンテンツが世の中に出るお手伝いをできるのはとても面白い。そしてなにより、ＴｉｋＴｏｋから出てきたコンテンツやスターを自分自身が見てみたいという思いがありますね。

TikTok

PART 4

ゼネラルマネージャーに聞くTikTokの展望

アドバンテージと強化ポイントは？

等身大の動画が生んだ“TikTok売れ”さらに大きな波が来るのはこれから

INTERVIEW

TikTok Japan, General Manager

佐藤陽一

さとう・よういち

TikTok Japan,General Manager。東洋経済新報社、マイクロソフト、Googleを経て、2019年9月にTikTok JapanにHead of Business Developmentとして入社。20年1月より現職。

TikTokの日本における運営をけん引するのは、ゼネラルマネージャー（GM）の佐藤陽一氏だ。佐藤氏はマイクロソフトやGoogleなどに在籍、メディアやテクノロジー業界で30年近くの経験を重ね、2020年1月に現職に就任した。

GM就任からの約2年間はコロナ禍とほぼ重なる一方、TikTokは音楽や書籍などのエンタテインメント作品を皮切りに様々なヒットを連発。そのパワーが一般消費材にまで広がり、「モノが売れるプラットフォーム」へと進化した期間と重なる。この間のTikTokの成長をどう見るのか。そして、今後の展望を語ってもらった。

ヒットの根源は多様なコンテンツ

正直な話をすると、TikTokがきっかけでリアルな商品がここまで売れるようになるとは想定以上でした。ゼネラルマネージャー就任後に掲げた運営方針は、「まずはTikTok上にたくさんの面白いコンテンツがあることを、皆さんに知ってもらうことにフォーカスしていこう」というもの。最近はコンテンツのジャンルが多様化するとともに、面白い動画もますます増えています。そしてユーザー数はもちろん、ユーザー1人当たりの1日の平均視聴時間も52分（20年1月）から67分（21年7月）へと伸びていて、当初の目標は着実に達成できているとは思いますが、そのコンテンツをきっかけに、ここまで多様な商材が爆発的に売れるという広がりまではイメージできていませんでした。

　特に驚いたのは、デジタルの世界のヒットにとどまるのではなく、実際の店舗へも影響を与えていることですね。TikTokの小説レビュー動画がきっかけにベストセラーが生まれただけでなく、それが電子書籍ではなくリアル書店で平積みになっているのですから。私を含めてオールドジェネレーションは電子とリアルを分けて考えがちですが、若い世代はそうではないんだなあと。それはスマートフォンの存在が大きいのだと思います。普段の生活を送るなかで常に手元にあるデバイスなので、そこで得た情報を持ってそのまま本屋などのリアルな店舗に行って実物を購入することが、ごく自然な流れとなっているんでしょうね。

等身大の動画だから購買意欲がかき立てられる

　デジタルとリアルの隔たりが若い世代では薄れているとしても、現在、リアルなヒット商品を次々と生み出しているプラットフォームはそうはない。なぜ、TikTokは、これほどまでにユーザーの心を動かすことができるのか。佐藤氏はTikTokで人気とな

る動画には、「親しみやすさ」「エンタテインメント性」「作り手の情熱」といった要素が含まれていることが大きな要因ではないかと話す。

重要なポイントの1つが、TikTokに投稿される動画の大半がフレンドリーかつ等身大のものであるということでしょう。人気のあるクリエイターの動画を見ていて感じるのは、親しみやすさを生むラフな作りになっていることです。編集の際には「どの1秒を削るか」に心血を注いでいるはずなのに、出来上がった作品はそれを感じさせないものとなっている。例えるならば、大泉洋さんが出演する人気番組の『水曜どうでしょう』などに近いのかもしれないですね。ラフに作っているように見せかけて、実際には撮影で長時間カメラを回し、秒単位で飽きさせない構成に仕上げている。その作り込み方が似ているような気がします。

ユーザー側から見れば、クリエイターを身近な人の延長線上として認識しているというのが、すごく強いと思うんですよ。TikTokで「これは面白い」という人を見つけて、その動画を見ていると自然と親近感を感じるようになる。だからこそ、そこに商品情報が載っていると、興味や購買意欲をかき立てられてしまうんです。きっと、企業のホームページにある作り込まれた映像や、上からの目線で語る〝意識高い系〟の動画などとは真逆のものが、TｉｋTｏｋでは求められているのだと思います。

広い意味でのエンタテインメント性が入っていることも重要ですね。広い意味というのは、単に笑いの要素が全てではないということ。例えば、TｉｋTｏｋをプロモーションに活用するカーディラーのBMWのオネーサン（154P参照）は、彼女の出身地の方言である山形弁でBMWの機能を紹介しているからこそ人気を集めています。あれが完全に作り込まれたような雰囲気で標準語を使っていたら、そんなに多くの人には見られていないかもしれない。方言はエンタテインメントになり得るし、そういう要素のある動画だからこそTｉｋTｏｋでは大きな影響力を持つのだと思います。

企業アカウントも告知でなく〝TｉｋTｏｋ動画〟を

動画の作り手の情熱がいかに伝わるかも大事ですね。映画紹介をやっているしんのすけさん（198P参照）は、ビジネスでやっているのではなく、「好きなものを届けたい」というパッションが第一にあるからこそ伝わる。視聴者も動画から何かしらの情熱を感じ、そこに作品情報もあるからこそ、「実際に見てみよう」「試してみよう」という気持ちになるんです。

私自身もＴｉｋＴｏｋをきっかけに、先日ハチミツを購入しました。兵庫県のハチ屋さんが、「Ｈａｎｉ２【ハニハニ】」というアカウントで、ミツバチの世話の仕方や餌の作り方などを動画にして投稿しているんですよ。ミツバチに対する愛や情熱がすごくて、面白いなと思って見ていたところ、ハチミツを販売していることも知ったんです。そのときは、自分でも驚くほど素直に購入していました（笑）。そういう宣伝色のないところから、購買に結び付くのがＴｉｋＴｏｋらしさだという気がしますね。

だから、企業アカウントが自社の商品についての動画を制作する際にも、「いわゆる告知動画を作ろうとせずに、通常のＴｉｋＴｏｋ動画を作ってください」とアドバイスしています。例えば、仮に高級時計が自社アカウントでアバンギャルドなカッコいい映像を流しても、恐らくＴｉｋＴｏｋではそこまで大きな話題にならないでしょう。でも、時計の中がいかに精緻に出来ているかが分かるリペアの映像って、すごく人気があるんです。ＴｉｋＴｏｋで機械時計の美しさを伝えたいなら、アプローチすべきは後者なんですよね。イメージ戦略みたいなことなら、他のプラットフォームでやったほうがいいということになるんじゃないかという気がします。

20年のグローバルのアプリダウンロード数が1位となったように、こうした“ＴｉｋＴ

ok売れ〟が起きている背景には、ユーザーが順調に拡大していることが挙げられる。この勢いをさらに拡大するために必要な強化ポイントは、「ユーザー層を広げること」と「クリエイターの育成とサポート」だと佐藤氏は話す。

ユーザーの年齢層を広げるためには、上の世代が興味を持ってもらえるコンテンツを提供しなければいけないと考えていたこともありました。最近では郷ひろみさんや和田アキ子さんがTikTokを始めてくれたことで、上の世代への認知も広がりました。でも実は、私たちのような上の世代がTikTokで楽しんでいるのは、昔、自分たちが面白がっていたものを、今の子たちがどう楽しんでいるのかを見ることだったりする。最近人気が出ているマネスキンというイタリアの若手バンドがいるんですが、70年代のUKロックの影響を強く受けていて、私たちからすると懐かしくていいと思う部分が、若い世代からは新しいと評価されているんですよ。そういうことに近いのかなと感じますね。TikTokは、僕らの世代が愛してきたものが、若い世代の再解釈によって改めて注目される場にもなっている。シティポップがTikTokで注目を集めたことなどは、まさにその典型だと思います。

一方で、より幅広い世代の人たちに、見るだけでなく動画の投稿も体験してほしい。そのために、動画を撮ることのハードルを下げていく必要があると思っています。TikTokが10代から広がっていったのは、あの世代はスマホで何かを記録する際に、写真ではなく動画を選ぶことが多いからでしょう。しかし、上の世代になればなるほど、動画での撮影はまだ日常的なものではない。TikTokも、40代より上で投稿までするユーザーは相対的にまだそこまで多くありません。

さらに、撮影をした先には「編集」と「投稿」という段階がある。撮影以上に奥が深く、手間が掛かる作業となるので、いかに簡単に楽しく動画を投稿してもらうか。エフェクト機能などで投稿のハードルを下げたり、動画ネイティブではない世代の人がVlog的に投稿できるような仕掛けも作るなど、今後さらに進化させていくつもりです。

年齢層が上の人たちでも慣れてくれれば動画をつくる面白さに気づく人も多いと思うし、ショート動画の可能性はとても大きい。本当に大きな波が来るのはこれからだと考えています。

クリエイターの育成もさらに強化していく

クリエイターの育成に関しても、今後さらに力を入れていくつもりです。21年10月には

「ＴikＴok Japan Creator Academy」を立ち上げました。クリエイターとして活動を始めると、フォロワーが伸びなくなるなどの壁にぶつかることがあります。ＴikＴok側としても、フォロワーを伸ばすノウハウや、視聴者を飽きさせない動画の作り方といった知見が溜まってきているので、それをアカデミーのプログラムを通してシェアし、活動をより長く続けてもらえればと思っています。

アカデミーでは、動画制作資金を提供するプログラムも用意しています。クリエイターの多くは他にも仕事をしており、余暇を使ってＴikＴokに動画投稿をしてくれているので、動画制作費に十分なお金を割けない人も多い。本当は最新のiPhoneで動画を撮影したくても、それが難しい方もいると思います。そういったクリエイターの皆さんに対して、金銭面でもサポートしていく予定です。

また、ＴikＴokを使って商品をプロモーションしたいと考えている企業と、ＴikＴokで活動しているクリエイターを良い形で引き合わせる仕組みも強化していきたい。既に、「ＴikＴok Creator Marketplace」という、ブランドとクリエイターをダイレクトに引き合わせるプラットフォームを立ち上げています。こちらも、企業とクリエイターの双方にとって、もっと使いやすいプラットフォームに進化させていきたいと考えています。

TikTokは「ライブコマース」とも相性がいい

一方、機能面の強化についても様々な可能性が視野に入る。例えば、〝TikTok売れ〟がこれだけ広がるなかでは、リアル店舗へ誘導するだけでなく、TikTok内で直接モノを販売することなども考えられる。また、次世代の通信技術である5Gの普及やスマートフォンの進化によっても、TikTokが提供できるサービスの可能性はさらに広がるだろう。

直接モノを売ることができるプラットフォームとしてのあり方も、考えるべき時期に来ていると思っています。ただし、それによってTikTokという場が閉じてしまうのであれば、むしろやらないほうがいい。開かれた場であることがすごく重要なプラットフォームなんです。利用者がストレスなく利用でき、シームレスにいろんなサービスを利用できるようなシステムが構築できなければ、やるメリットはないのかなと思っています。

ライブ配信をしながら商品を販売する「ライブコマース」は、日本でも3～4年前に多くのIT企業が参入しましたが、まだ成功しているケースはないと思っています。ライブコマースは中国などで先行してヒットしていますが、その理由は、ライブ配信アプリが人気を得ているのと似ている部分がある。ライブ配信アプリの視聴者は、クリエイターとのコミュニケーションを楽しむことがまず第一にある。同じようにライブコマースも、何より重要なのは「コミュニケーション」。それが上手な人たちが人気となり、収益を上げています。そういう意味では、TikTokはクリエイターと視聴者の距離が近いプラットフォームなので、相性はいいと思います。さらにクリエイターが過去に投稿してきた動画を遡って視聴できるため、人となりを伝えることができ、信頼感を醸成しやすい。それはアドバンテージになると考えています。

また、5Gがインフラとして定着すれば、データ通信のスピードが大きく上がることで、重たいエフェクトを使った動画などがよりスムーズに動くようになります。ユーザーの方々にストレスなく使ってもらえるようになることは大きいですね。うちの開発陣もARやVRといった最新テクノロジーを駆使した新機能が生み出せるということで、手ぐすねを引いて待っていると思います。

TikTokというのは、あくまでもスマホありきのサービスなので、5Gを含めてスマホがこれからどう発展していくのかと非常に密接に関わっている。例えば、iPhone12Proシリーズから搭載されている「LiDARスキャナ」というものがあるんですが、この機能で暗い場所での撮影の精度が上がったり、ARへの応用が期待されています。このように、スマホの動画撮影の機能がアップしていくのはとても喜ばしい。スマホの機能をフルに使える場としてＴｉｋＴｏｋは存在するべきだと考えているので、その進化を注視していくつもりです。

「#きみが次に好きなもの」のコピーに込めた思い

ただし、どんなに新たな機能が追加され、最先端の体験ができる環境が整ったとしても、ＴｉｋＴｏｋらしさを失っては意味がない。身近な距離感でクリエイターとつながり、見るたびに新たな発見がある――ＴｉｋＴｏｋがブランドメッセージとして打ち出している「#きみが次に好きなもの」に出合える場であり続けることは、今後も変わることがないようだ。

きっと多くの人が、自分の嫌いなものは明確に分かっていても、自分が好きなものはそこまで把握できるわけではないと思うんです。その点、自分が好きでないものは簡単に飛ばすことのできるスワイプ機能を持った、ＴｉｋＴｏｋのユーザーインタフェースは、日本人に合っているのではないかと。ＴｉｋＴｏｋは、たまたま目に入った動画を見てもらい、気に入らなければ、広告であろうが通常の動画であろうが、どんどんスワイプで飛ばしてもらえる。それは、テレビをザッピングしているときの感覚とすごく近いと思っていて。TikTokはそれを実現した、初めてのプラットフォームだと自負しています。

そういう意味では、ブランドメッセージで伝えたかったことの1つが、「君が次に好きなものは、まだ君自身も分かっていないんだよ」ということ。しかも、TikTokはこれまで見たことのない面白いものを発見できる場所であるだけでなく、自分が新しく出合った好きなものを動画として表現できる場でもあるんです。そういうTikTokのオープンエンドな魅力は、これからも変えるつもりはありません。インターネットがギスギスしている時代だからこそ、TikTokはそのギスギスとは全く無縁の、安心できる楽しいエンタテインメントの場でありたい、そう強く思っています。

日経エンタテインメント！ ENTERTAINMENT

流行に敏感で知的好奇心が強く、トレンドをリードする人たちのための流行情報誌として1997年に創刊。テレビ、音楽、映画、アニメ、本、マンガ、ゲーム、ＳＮＳなど、すべてのエンタテインメントジャンルをカバー。何が流行っているのか、誰がなぜ人気があるのか、次は何がブレイクするのかを柱にヒットの秘密に迫り、ヒットの裏側までを解説する。表面的な情報では物足りない人たちの好奇心に応え、より深い作品の楽しみ方を紹介している。

https://project.nikkeibp.co.jp/ent/

編集　日経エンタテインメント！

編集協力　羽田健治　中桐基善
橘川有子　小松香里　新亜希子　鈴木朋子

協力　TikTok Japan
後藤隆之助　佐藤翼

装丁　本谷秀人

制作　エストール

TikTok
ショート動画革命

2021年12月13日　第1版第1刷発行

編者　日経エンタテインメント！

発行者　村上広樹

発行　日経BP

発売　日経BPマーケティング
〒105-8308　東京都港区虎ノ門4-3-12

印刷・製本　中央精版印刷

ISBN 978-4-296-11143-5

本書籍に関するお問い合わせ、ご連絡は、下記にて承ります。
https://nkbp.jp/booksQA